CB051651

MASCARADOS

COLEÇÃO HISTÓRIA AGORA

Volume 1
A USINA DA INJUSTIÇA
RICARDO TIEZZI

Volume 2
O DINHEIRO SUJO DA CORRUPÇÃO
RUI MARTINS

Volume 3
CPI DA PIRATARIA
LUIZ ANTONIO DE MEDEIROS

Volume 4
MEMORIAL DO ESCÂNDALO
GERSON CAMAROTTI E BERNARDO DE LA PEÑA

Volume 5
A PRIVATARIA TUCANA
AMAURY RIBEIRO JR.

Volume 6
SANGUESSUGAS DO BRASIL
LÚCIO VAZ

Volume 7
A OUTRA HISTÓRIA DO MENSALÃO
PAULO MOREIRA LEITE

Volume 8
SEGREDOS DO CONCLAVE
GERSON CAMAROTTI

Volume 9
O PRÍNCIPE DA PRIVATARIA
PALMÉRIO DÓRIA

Volume 10
OPERAÇÃO BANQUEIRO
RUBENS VALENTE

Volume 11
O BRASIL PRIVATIZADO
ALOYSIO BIONDI

Esther Solano
Bruno Paes Manso
Willian Novaes

MASCARADOS

A verdadeira história dos adeptos da tática Black Bloc

GERAÇÃO

1ª edição — Novembro de 2014

Grafia atualizada segundo o Acordo Ortográfico da Língua Portuguesa
de 1990, que entrou em vigor no Brasil em 2009.

COLEÇÃO HISTÓRIA AGORA

Editor e Publisher
Luiz Fernando Emediato

Diretora Editorial
Fernanda Emediato

Produtora Editorial e Gráfica
Priscila Hernandez

Assistentes Editoriais
Adriana Carvalho
Carla Anaya Del Matto

Capa e Projeto Gráfico
Alan Maia

Fotos de capa
Willian Novaes / Coletivo Fotógrafos Ativistas
Yan Boechat / André Guilherme / Eli Simioni (Contra-capa)

Diagramação
Kauan Sales

Preparação de Texto
Antonio Leria

Revisão
Josias A. de Andrade
Marcia Benjamim

DADOS INTERNACIONAIS DE CATALOGAÇÃO NA PUBLICAÇÃO (CIP)
(Câmara Brasileira do Livro, SP, Brasil)

Solano, Esther
Mascarados : a verdadeira história dos adeptos da tática
Black Boc / Esther Solano, Bruno Paes Manso, Willian Novaes. --
São Paulo : Geração Editorial, 2014. -- (História agora)

ISBN 978-85-8130-279-9

1. Movimentos de protesto 2. Reportagens investigativas
3. Repórteres e reportagens I. Manso, Bruno Paes.
II. Novaes, Willian. III. Título. IV. Série.

14-08650 CDD: 070.449484

Índices para catálogo sistemático

1. Movimentos de protesto : Black Bloc : Reportagens investigativas :
Jornalismo 070.449484

GERAÇÃO EDITORIAL

Rua Gomes Freire, 225/229 – Lapa
CEP: 05075-010 – São Paulo – SP
Telefax.: +55 11 3256-4444
E-mail: geracaoeditorial@geracaoeditorial.com.br
www.geracaoeditorial.com.br

Impresso no Brasil
Printed in Brazil

Sumário

INTRODUÇÃO – A PESQUISADORA, O JORNALISTA, OS MANIFESTANTES E O POLICIAL 9

PARTE 1: A PESQUISADORA – ESTHER SOLANO GALLEGO 13

1. A PESQUISA 15
2. PRIMEIRA MANIFESTAÇÃO. SOBRE VOZES NEGADAS 27
3. QUEM SÃO ELES? DA USP AO CAPÃO REDONDO 45
4. O PORQUÊ. O DESCANSO E A VIOLÊNCIA 55
5. PRAÇA ROOSEVELT: EMBATE NO LUGAR DO DEBATE 63
6. VIOLÊNCIA COMUNICATIVA. A DEPREDAÇÃO-ESPETÁCULO 71
7. MÁSCARA E PRETO. METAMORFOSE 83
8. CRÍTICAS INTERNAS. DIVERGÊNCIAS E HETEROGENEIDADE 91
9. IDENTIDADE. POLÍTICA E VANDALISMO 101
10. RAIVA CONTRA A POLÍCIA MILITAR. NÓS CONTRA ELES 111
11. 01-08-2013 A 01-08-2014 125
12. ANEXO: NO FACEBOOK 133

PARTE 2: O JORNALISTA – BRUNO PAES MANSO 139

1. COADJUVANTES NAS RUAS DO BRASIL: ASCENSÃO E QUEDA DO BLACK BLOC 141

2. A GERAÇÃO DAS RUAS 147
3. AS MANIFESTAÇÕES 153
4. A COBERTURA EM JUNHO E JULHO 159
5. A EPIDEMIA 171
6. NA COPA DO MUNDO, A CAIXA DE FÓSFOROS ESTAVA USADA 181

PARTE 3: OS MANISFESTANTES — POR WILLIAN NOVAES 189
1. METAMORFOSE RADICAL 191
2. VIOLÊNCIA GERA VIOLÊNCIA 201
3. BARÃO REVOLUCIONÁRIO 209
4. DE BARRADO PARA PROTAGONISTA 219
5. APAIXONADA PELO PERIGO 229
6. MINI PUNK 239
7. EXILADA PELA CAUSA 247

PARTE 4: O POLICIAL — CORONEL REYNALDO SIMÕES ROSSI 259
1. UM CORONEL AGREDIDO NA LINHA DE FRENTE 261

POSFÁCIO: O BLACK BLOC E A VIOLÊNCIA – PABLO ORTELLADO 281

INTRODUÇÃO

A pesquisadora, o jornalista, os manifestantes e o policial

A realidade, se existe, é um poliedro. As luzes sempre batem em ângulos diferentes.

A realidade, se existe, não está composta por verdades absolutas, cânones, ou rigores ortodoxos e sim por pontos de vista, sentimentos, percepções.

Impor um padrão imutável de entender a vida é mais uma forma de violência.

Este livro é uma tentativa de desconstruir alguns lugares-comuns, algumas manias insistentes de ver o mundo sempre a partir da mesma perspectiva, porque se existe alguma verdade, esta só se encontra na convergência e até no desajuste de vários olhares, mas nunca num lado do prisma, por muito que este seja polido, que brilhe mais forte. É só um artifício, um engano, um jogo quimérico de luzes. Os outros lados também escondem seus reflexos.

A vida, o mais insensato dos poliedros, é explosiva, volátil, carregada de significados, de lados que se impõem por sua luminosidade e de lados escuros, manchados, com os vértices desgastados, que ninguém observa.

Durante um ano de protestos o conceito Black Bloc virou um fetiche, uma palavra corroída, consumida até a saciedade. Numa sociedade em que as pessoas devoram tudo com rapidez, não podia ser de outra forma. Tudo se transforma em mercadoria jornalística, em mercadoria política, a carne vira produto de troca.

Poucos têm se detido a enxergar as pessoas por trás das máscaras, das fardas, das câmeras. Adepto da tática Black Bloc, policial militar, jornalista, todos parecem bonecos de plástico na frente do grande espetáculo, que engole, que mastiga tudo, que esquece olhar com empatia e que degrada as pessoas em fantoches.

Por isso este livro quis recolher o lado do prisma de cada um desses personagens, fugir do senso comum. Ceder a palavra. Nenhum desses protagonistas está despojado de paixão, nenhuma visão é estatística porque a vida não é um objeto matemático. Todos nós, os autores deste livro, vivemos esse ano com muita emoção. As sensações, as complexidades e as incoerências se emaranham e estão contidas aqui. Quem afirmar que não teve momentos de perplexidade, de contradição, ou não estava na rua ou se deixou cegar pelo lado ofuscante do poliedro.

Às vezes parece que vivemos em guetos ideológicos, em fatias antagônicas da mesma vida. Não é fácil encontrar quem queira dialogar e rejeite reproduzir estereótipos que reafirmam inimigos artificiais. Não é fácil encontrar quem queira, simplesmente, escutar. Atores silenciosos — invisíveis, por trás da máscara, da farda e da câmera — têm resumida sua humanidade numa manchete, numa foto, como se a imagem ou a frase pudesse explicar com precisão o que foi vivido nesse um ano nas ruas.

Colocar todos em diálogo, cada um com sua voz. Essa é a proposta do livro. Em vez de flancos opostos, em postura de confronto, um do lado do outro, numa sequência contínua porque a realidade, se existe, nunca é escrita por uma mão só.

Dias antes de escrever esta introdução tivemos uma última chacina, em Carapicuíba, na Grande São Paulo, com sete pessoas mortas na madrugada do dia 26 de julho. Há quem diga que a solução inequívoca para essas tragédias é o endurecimento do estado, da sociedade, da cadeia... Uma população endurecida, insensibilizada, dona de verdades únicas, em que indivíduos enfrentam uns aos outros e não está disposta a olhar as cores em que a luz se transforma a partir de outros ângulos.

"Hoje estou convencido de que se a gente não sentar junto, deixar os preconceitos de lado, estar realmente disposta a escutar e a reconhecer que o outro pode ter parte de razão, não vamos melhorar nada. Mas ninguém quer conversar, todo mundo está muito intolerante, nós, inclusive, viramos muito intolerantes. Parece que ninguém acredita mais que o diálogo possa resolver alguma coisa. É muito triste ter chegado a esse ponto. Estou cansado de tanta violência por todo lado (silêncio). Não vale a pena." (manifestante, 19-06-2014)

Talvez queiramos uma sociedade que não escuta e prefere repetir levianamente a frase feita e fácil, o roteiro pronto, se deixando arrastar por fanatismos, alucinada, sem se dar a oportunidade de se entender a si mesma. É nossa escolha.

A escolha do livro é outra. Escutar as pessoas, não os títeres, ou os bufões criados pelo espetáculo. Prestar atenção nas palavras de todos. Entender.

A realidade, se existe, tem muitas vozes.

PARTE 1.

A PESQUISADORA – ESTHER SOLANO GALLEGO

© Mídia NINJA

CAPÍTULO 1. A PESQUISA

"Foram muitas manifestações e confrontos, acompanhando e escutando."

O texto abaixo é resultado de uma extensa pesquisa de campo com os adeptos da tática Black Bloc em São Paulo, realizada de agosto de 2013 até a Copa do Mundo 2014. Um ano de observações, perguntas, diálogos e conversas com dezenas de jovens. Foram muitas manifestações e confrontos, acompanhando e escutando. Um ano em que a tática Black Bloc virou protagonista de cenas violentas no centro da cidade, de desafios políticos sem resposta, inquietudes e polêmicas sociais, contínuos duelos na rua com a polícia e inúmeras matérias jornalísticas. Muito se falou ao longo desse um ano. Pouco foi entendido. Pouco se procurou aprender.

Nas incontáveis ocasiões que tenho apresentado os dados da pesquisa em palestras, conferências ou reuniões com os gestores públicos, uma pergunta sempre tem a tendência insistente de aparecer: "*Você é a favor ou contra eles?*" Pergunta errada. Perdemos tantas oportunidades de aprender porque não sabemos fazer as perguntas que interessam, as que provocam, as que instigam. A sociedade brasileira perdeu tanto tempo tentando se posicionar, emitindo opiniões ou sentenças, e esqueceu que o crucial era analisar o fenômeno, tirar dele lições sobre a nossa realidade, aproveitá-lo para questionar.

Pouco importa minha posição, porém o conhecimento adquirido ao longo desses meses, esse sim, esse é valioso. Quem são estes jovens? O que significa sua presença nas ruas? Por que utilizam a violência como instrumento de manifestação? Como enxergam o Poder Público? Qual é a sua relação com a polícia? Por meio das palavras deles e de suas ações, surgem outras perguntas ainda mais essenciais: Quem somos nós como sociedade? Qual é o lugar da violência nas nossas relações sociais? Qualquer observador atento, ciente de que o que acontece no território urbano é expressão enérgica, decidida, do que se esconde atrás dele, nos bastidores do social, terá aprendido muito durante este ano.

Meu propósito sempre foi entender um fenômeno que pouco me parece ser simples ou evidente, e que expressa muito sobre nossa sociedade. Queria avançar por cima desse discurso banal: "O Black Bloc é vândalo ou a Polícia Militar é violenta". A academia não pode se permitir a obscenidade de cair em simplificações, desdenhar ensinamentos ou trivializar a vida. A vida não é medíocre. Esforcei-me muito para tentar captar os significados da violência nos protestos, interpretar as vozes dos manifestantes, assim como pretendo continuar o esforço para entender a realidade dos policiais com futuras pesquisas. Por detrás de qualquer máscara ou de qualquer farda existe uma história, uma história que, aliás, pode contar muito não só sobre ela mesma, mas também sobre todos nós.

Na nossa sociedade, onde convivem o argumento fácil, a banalização, o fanatismo e a trivialidade, não é fácil a postura de quem quer entender com cautela, sem se lançar intempestivamente a análises impacientes e comentários raivosos. Recusar as posições extremas, o senso comum tirânico e acreditar que os problemas são muito mais complexos e intrincados do que se apresentam, significa se expor a críticas. Mas a crítica, inclusive a que só pretende destruir e não construir pontes de diálogo, é sempre um aprendizado. Como a publicada no jornal *O Globo*, reproduzida abaixo:

QUARENTA GAROTOS

Autor: Demétrio Magnoli

"Num país onde mais de 50 mil pessoas são mortas por ano, como é possível essa histeria com 40 garotos?", indagou a socióloga Esther Solano, da Universidade Federal de São Paulo (Unifesp), segundo reportagem de Lourival Sant'Anna publicada em *O Estado de S. Paulo* (1/6). A indagação refere-se aos black blocs e revela as evidentes dificuldades da professora com o raciocínio lógico, que são multiplicadas por uma dramática carência de referências históricas. Contudo, atrás dela, é possível identificar os contornos de um fenômeno relevante. Os "40 garotos" não estão sós: são uma superfície emersa, ainda que mascarada, da profunda crise na qual se debate a esquerda brasileira.

A violência que se espraia, oriunda de bandidos ou policiais-bandidos, obviamente não pode servir como justificativa para a colonização de manifestações políticas por grupos dedicados à violência. No plano lógico, há mais: a violência dos "40 garotos" não é uma resposta à criminalidade, mas uma apropriação política dos métodos dos criminosos. A declaração de um dos líderes dos black blocs, reproduzida na reportagem, evidencia uma deriva perigosa, mas bastante previsível: "Não temos aliança nem somos contra o Primeiro Comando da Capital (PCC). Só que eles têm poder de fogo muito maior que o Movimento Passe Livre (MPL). Eles fazem por lucro e a gente, contra o sistema". Solano não vê nisso nenhum problema — e o problema é justamente esse.

Os "40 garotos" não são um raio no céu claro — nem, muito menos, como sugeriram alguns intelectuais hipnotizados pela política da violência, um fruto natural da vida nas "periferias". As táticas que utilizam, a estética que os define e as ideias que os mobilizam têm significados inteligíveis. Como tantos outros intelectuais-militantes, Solano provavelmente sabe decifrá-los, mas prefere ocultá-los.

Eles não estão sós: são uma superfície emersa, ainda que mascarada, da profunda crise na qual se debate a esquerda brasileira

A estética tem importância. Os "40 garotos" cobrem o rosto não apenas para praticar atos criminosos no anonimato, mas, essencialmente, com a finalidade de traçar uma fronteira entre eles mesmos e os demais manifestantes. Os black blocs enxergam a si próprios como uma vanguarda, um modelo e um exemplo. Eles sabem o que os outros (ainda) não sabem. "Estamos mostrando na rua a tática, e queremos que as pessoas se apropriem", explicou uma black bloc, estudante de Ciências Sociais. Nesse sentido preciso (e só nesse!), os black blocs inscrevem-se na correnteza histórica dos grupos terroristas e das organizações de guerrilha urbana.

As táticas têm importância. Os "40 garotos" atacam policiais, depredam e vandalizam com a finalidade de provocar a reação repressiva mais violenta possível. No cenário ideal, policiais despreparados e assustados devem investir contra manifestantes pacíficos, ferindo-os ou (sonho dourado!) matando-os. Os black blocs são descendentes das organizações de "ação direta" que emergiram na Alemanha e na Itália entre as décadas de 1970 e 1980. "A manifestação não pode ser pacífica, sendo que é resposta à repressão estatal e capitalista", teorizou um dos "40 garotos". Os black blocs almejam promover o caos para comprovar a tese política que abraçaram.

As ideias têm importância. Os "40 garotos" inspiram-se no filósofo Herbert Marcuse, que interpretava as democracias representativas como regimes autoritários disfarçados sob uma película irrelevante de falsas liberdades. A rejeição marcusiana às instituições da "falsa democracia" funcionou como mola das organizações de "ação direta" que emergiram no rescaldo do Maio de 1968 na Europa. Dos destroços da "ação direta", surgiram grupos terroristas como o Baader-Meinhof e as Brigadas Vermelhas. Os ancestrais dos black blocs eram "garotos" alemães e italianos cujas vidas — e as de tantos outros da mesma geração não envolvidos em atos de terror — foram tragadas no caldo letal das ideias formuladas por intelectuais-militantes.

A professora da Unifesp só tem relevância como sintoma. Na hora da repressão, ela estará defendendo sua tese acadêmica ultrarradical numa sala climatizada, entre pares ideológicos. Mas as bobagens rasas que diz e escreve descortinam um panorama trágico: uma parte da esquerda brasileira não aprendeu nada e ensaia reproduzir experiências catastróficas bem conhecidas.

Infelizmente, os "40 garotos" não estão sós. A conversão do PT em "partido da ordem" — e, em seguida, da "velha ordem" — abriu um vazio político que começa a ser preenchido pelo discurso e pela prática da "contraviolência". O MPL jamais condenou as intervenções dos black blocs nas passeatas que convocou. Setores do PSOL piscaram um olho para eles, como se viu tanto na greve dos professores municipais quanto na ocupação da Câmara Municipal do Rio de Janeiro.

"Um país que naturaliza tanto a sua violência não tolera ver a violência na avenida Paulista", disse Solano ao repórter. "É legítimo quebrar banco. Quantas pessoas um banco quebra por dia?", explicou o líder black bloc, que também justificou a depredação de bens públicos: "O imposto já é roubado. Dizer que o dinheiro vai sair do nosso bolso é mentira, porque já saiu. Alguém tem saúde digna? Então não reclame de vandalismo". Marcuse depositava suas esperanças revolucionárias no que os marxistas caracterizaram como "lumpen-proletariado", isto é, a camada marginalizada de desempregados crônicos, jovens revoltados, pequenos criminosos, vigaristas e desordeiros dos centros urbanos. Seguindo a trilha do mestre, os intelectuais-black blocs enxergam nos "40 garotos" a centelha de uma grande fogueira purificadora.

De fato, os "40 garotos" expulsaram as pessoas comuns das ruas, transformando-as em cenários de pequenas guerras urbanas. O espectro da violência serve, hoje, como argumento para a militarização das cidades-sede da Copa. Solano já pode comemorar: os seus "garotos" estão "provando" a tese de que democracia é igual a ditadura.

Fonte: *O Globo*, 5/6/2014

A que se seguiu a crítica e resposta abaixo, publicada em artigo da autora Esther Solano:

LONGE DA VIOLÊNCIA, PERTO DO DEBATE

Enxergo no black bloc o sintoma de um país que se asfixia no seu descrédito absoluto no Poder Público.

Sou amante do debate. Gosto de desafiar argumentos e intuições, construir polêmicas sobre ideias, não sobre nomes próprios. Não sou adicta a ortodoxias. Quem me conhece sabe que sou pregadora fiel do diálogo até entre partes definidas como antagônicas por um leviano e simplório maniqueísmo social que muito ajuda para a neurose e pouco para o avanço. Não sacramento nada, nem minha própria opinião, que está aqui para ser construída, amadurecida e talvez mudada.

Discutir conceitos, não pessoas. Julgar por umas aspas de jornal, desconhecendo o contexto da fala, carece da legitimidade mínima que o bom encontro dialético precisa, mas, já que os "40 garotos" parecem ser assunto relevante, permitam-me explicar.

"Num país onde mais de 50 mil pessoas são mortas por ano, como é possível essa histeria com 40 garotos?" Sim, essa é a expressão de meu estupor cotidiano. Levo um ano nas ruas acompanhando o fenômeno do black bloc. Cada dia concedo entrevistas para imprensa nacional e internacional. Sim, sinto-me estupefata porque nunca vi tanto debate sobre as outras violências, incessantes e brutais, que o Brasil naturaliza de forma feroz. Não entendo que as estatísticas desumanas de homicídios, estupros, ou encarceramentos não mereçam também manchetes e reflexões prioritárias. Não entendo que os brasileiros não parem tudo, exigindo respostas contundentes, proclamando um basta definitivo. Assusta-me a conivência silenciosa com a tragédia diária.

Sejamos inflexíveis com a violência, sim, mas não só com a que acontece na frente dos holofotes e comercializa jornais, com a invisível também. Repudiemos, mas não sejamos tão hipocritamente seletivos.

Nunca defendi a violência. Minha única impertinência foi ir às ruas e tentar entender antes de opinar. Longe da "fogueira purificadora", enxergo no black bloc o sintoma de um país que se asfixia no seu descrédito absoluto no Poder Público.

Entristecem-me as cenas vividas nas ruas, talvez porque saí de meu conforto e as vi de perto, não protegida emocionalmente pela tela da TV. Meu lugar não é em "salas climatizadas". Magoa ver policiais e manifestantes feridos, porque embora pareça um ser insensível para quem lê o artigo do senhor Magnoli, acreditem, disto disso...

Converso muito com manifestantes e com policiais, apostando no diálogo e fugindo de radicalizações. Sempre fui bem recebida, talvez porque é evidente meu desejo decidido de aprender, minha negativa ao julgamento descuidado e a certeza de que todos têm algo valioso a me ensinar. Tento enxergar as pessoas por trás da máscara e por trás da farda. Acredito veementemente que a academia deve observar sem arrogância e outorgar voz à sociedade.

O Brasil precisa urgentemente de debate. São muitas as feridas que lhe angustiam. Pensemos, pois, discordemos. Aprendamos.

Fica um convite sincero para o senhor Magnoli para um debate ou uma manifestação.

O insulto nunca. Essa é a derrota final.

A isenção total é impossível. Em toda pesquisa, um pouco das entranhas do pesquisador é colocada, sobretudo quando o objeto são pessoas, circunstâncias difíceis, não cálculos ou abstrações. Agora, o cuidado de analisar os dados com o mínimo de posições prévias não é incompatível com a emoção. Será que o aprendizado humano meramente teórico, alheio ao sentimento, vale a pena?

Já fiquei abalada com as cenas de violência. Já perdi noites de sono. Já fiquei preocupada com jovens que conhecia, vendo-os serem presos. Já fiquei preocupada com policiais que conhecia, vendo-os serem feridos.

Tentei fazer com que os sentimentos não embaçassem a pesquisa, mas neste livro quis escrever tanto os dados específicos, as vozes deles (jovens e policiais), como a minha própria, apresentando tudo o que aprendi e algo do que senti.

Já que as opiniões parece que importam, direi que não concordo com a tática Black Bloc. Já repudiei muitas de suas ações e lamentei profundamente algumas das situações trágicas que foram consequência dos protestos, mas continuo pensando que devemos aproveitar o momento para refletir. Talvez o Black Bloc seja reflexo, sintoma eloquente, de um modelo social e político que não satisfaz, que desagrada e decepciona. É aí onde consolida-se a possibilidade de aprendizado. Talvez a violência das vidraças quebradas possa ser a provocação que precisamos para começar, de uma vez por todas, um debate honesto e necessário sobre as violências cotidianas, às vezes abruptas, às vezes sutis, que ferem o país.

Talvez possamos aprender.

Não é fácil resumir um ano de pesquisa, ainda mais quando envolve um assunto intenso, polêmico e complicado. Há algumas conclusões, bastante dúvidas e várias preocupações. Eis o balanço. A única certeza válida é a urgência de repensar o lugar da política, o lugar das violências na sociedade e desviar-se das posturas fáceis, de estigmas. Avançar no debate.

"Esther, a violência é um fato. Estava na periferia e agora chegou à Paulista. Os protestos não vão ser os mesmos. Acostumem-se. A violência nas manifestações veio para ficar porque a violência real já existia!! Não sei se Black Bloc ou com outro nome, mas veio para ficar. O Brasil é um país extremamente violento, só que essa violência era afastada, na favela, longe, ninguém queria saber. O povo chegou a um limite. Ninguém aguenta mais. Demorou muito para chegar..."

Dia 25 de janeiro de 2014. Um manifestante que eu já conhecia, adepto da tática, me disse a frase acima durante o primeiro protesto do ano. Para mim, a questão mais decisiva de todas. Num país de violências, por que umas, as brutais, não geram reação social nenhuma? Por que outras, as do Black Bloc, mínimas se comparadas com aquelas, geram todo um espetáculo social?

2013, 2014. A História dirá se conseguimos nos repensar, aprender depois da convulsão social destes dois anos ou o povo brasileiro continuou ancorado nas suas mágoas não cicatrizadas.

Manifesto Black Bloc

1. O BB não é um grupo deliberadamente e randomicamente hostil. Nossa luta é contra as grandes corporações, instituições e organizações opressoras e em defesa de suas vítimas - de forma ativa.

2. O BB repudia infiltrações e tentativas de desmoralização e corrupção de movimentos sociais. Frente a infiltrados e provocadores, o BB irá coibir a ação através da conversa e da denúncia. Caso necessário, empregará outras técnicas.

3. O BB é organizado de forma horizontal e descentralizada - Não temos líderes. Todas as decisões são pautadas de forma democrática e autônoma.

4. Acreditamos que a forma mais eficaz de atingir grandes corporações, instituições e organizações opressoras dá-se no âmbito financeiro - Daí o caráter hostil de nossas ações contra multinacionais e semelhantes.

5. Reconhecemos o pequeno empresário como vítima do sistema. Repudiamos e tentamos a toda força coibir atos que visam prejudicá-lo.

6. Repudiamos toda forma de política extremista - Somos contra o monopólio de riquezas e a exploração das massas.

7. Somos contra veículos de comunicação tendenciosos e mentirosos.

8. Declaramos inimigos quaisquer meios de repressão e/ou opressão, sejam essas de caráter físico ou psicológico.

9. A corporação policial torna-se nossa inimiga [somente] a partir do momento em que suas ações tomam caráter opressor ou repressor.

Facebook, Black Bloc SP (24-10-2013)

Sport

CAPÍTULO 2.
PRIMEIRA MANIFESTAÇÃO. SOBRE VOZES NEGADAS.

“Deixe essa pesquisa. Eles não

— Oi, tudo bem? Eu sou Esther, professora universitária. Queria acompanhar vocês na manifestação e entender um pouco. Por que vão de preto, com máscara... você me explica?

— Que bom que a senhora está na rua. A maioria de vocês, professores, fica aí, quietinho na universidade, sem vir para a rua, e fala de nós como se soubesse alguma coisa. Mas vai saber o quê se não vem falar com a gente? Aí fica repetindo coisas sem sentido.

— Pois é... então me conta um pouquinho de você. Por que está aqui?

— Ah, eu sou de periferia. Gosto muito de estudar. Estudo em escola pública. Tiro 10 em física, em matemática. Mas eu sei que isso não adianta. Depois, os coxinhas que estudam em boas escolas acabam nas melhores universidades e a gente fica na luta a vida toda para quê? Esses burgueses levam tudo. Eu não tenho as oportunidades deles. Por isso estou aqui. Estou revoltado com essa situação, com essa merda toda.

Esta foi minha primeira conversa com um adepto da tática Black Bloc. Muitas viriam depois, durante um ano junto com eles nas ruas.

Era 1º de agosto de 2013 e São Paulo ainda estava reassumindo sua rotina depois da catarse coletiva de junho. O protesto tinha como pauta principal a pergunta "Cadê o Amarildo?", em referência ao pedreiro carioca desaparecido, suposta vítima de tortura e assassinato por parte de policiais da UPP da Rocinha no Rio de Janeiro. Nesse dia a concentração começou na frente da Prefeitura de São Paulo. Quando me aproximei do jovem tentando puxar conversa, o protesto já tinha avançado até a avenida Paulista, e estávamos caminhando entre os carros parados e as buzinas desesperadas. Ele, um estudante de periferia de dezesseis anos, com uma camiseta preta cobrindo o rosto, que havia acabado de xingar o dono de um carro de luxo chamando-o de "burguês". Eu, uma professora de trinta anos, filha dessa "realidade coxinha-burguesa", que meu interlocutor acabava de descrever com o rancor de quem parece pensar que existem dois mundos irreconciliáveis que se empurram e se excluem mutuamente.

Horas antes, eu tinha escutado de um conhecido com o qual comentei minha ideia de começar uma pesquisa a fundo sobre os protestos violentos, o seguinte comentário: "Não vale a pena, esses caras não têm nada para dizer, nem sabem por que estão aí. Bando de moleques que não querem nada com a vida. Não querem estudar, não querem trabalhar... É isso. Você vai gastar seu tempo e não vai dar em nada. Melhor pensar em outra pesquisa mais interessante". Uma dessas frases ditas como uma martelada, com contundência, com uma certeza altiva, soberana e, claro, irrebatível. Nesse momento pensei que ele talvez tivesse razão. Vai que era um bando de moleques com os quais não se podia falar porque não tinham o que falar. Hoje penso que só é capaz de dar essas sentenças definitivas quem não sabe e quem não quer saber. Hoje meu caderno de campo está abarrotado de conversas e observações, e até as que parecem mais insignificantes, sempre têm algum conteúdo sobre o qual vale a pena pensar. Curiosamente, meses depois, escutaria o mesmo discurso dogmático referente aos policiais militares quando comecei a conversar com eles e tentar entender o "outro lado" do conflito: "Você vai falar com esses milicos que só fazem merda? Tá doida! Os caras são assassinos. Não vai aprender nada. Eles só sabem bater. Ninguém vai falar com você. Fique longe deles, se não vai acabar apanhando também!"

Se tivesse obedecido a essas arengas categóricas não teria ido para as ruas, não teria conversado nem com os jovens adeptos do Black Bloc nem com os policiais porque, aparentemente, nenhum dos dois era merecedor de minha atenção, nenhum dos dois tinha nada interessante para compartilhar. Definitivamente, não teria aprendido nada. Simplesmente hoje seria mais ignorante do que sou.

Não tenho dúvidas. Um dos erros mais grotescos e ridículos de nossa sociedade é proclamar vociferantemente que o outro não tem nada a dizer. Se o sujeito não participa de meu modo de ver a vida, o degrado, o anulo, o faço incapaz para o debate. Pior, o esvazio de conteúdo, como se fosse um robô que, no caso do Black Bloc, só sabe depredar, e no caso da Polícia Militar, só sabe bater. Aqui estamos, numa sociedade de surdos e mudos. E o papel da academia em toda essa neurose excêntrica? Para mim, está claro: dialogar, aprender, incentivar o debate ponderado, se esforçar ao máximo por evitar julgamentos onipotentes, se colocar sempre contra simplificações. A academia não deve negar a voz. Não deve desumanizar. Não deve decretar a censura do "não tem nada que dizer". Nesse dia 1º de agosto, a única coisa que eu queria era escutar e entender. Entender os porquês da violência. A violência sempre expressa, sempre comunica, mesmo que não gostemos da mensagem.

A mensagem talvez seja que a sociedade não está pronta para assumir, por exemplo, que a raiva do Black Bloc é um sintoma, que os problemas estruturais das polícias são sintomas que estão explicitando as úlceras do atual modelo social brasileiro.

"Ninguém entende. Não estamos sabendo comunicar o que queremos. Não estamos sabendo comunicar nossa indignação. Mas é tão difícil de entender? Não aguentamos mais, o país não aguenta mais! É um basta! Chegou a um limite que não dá mais!"

"Ninguém entende que temos muitos problemas. Ninguém quer escutar e nós não estamos sabendo comunicar. Mea-culpa. Muitas coisas devem melhorar. Nós somos reflexo da sociedade, com seus problemas. O que está claro é que a situação deve melhorar. Do jeito que está é muito ruim."

Essas duas frases foram ditas no começo da onda de protestos violentos, durante agosto e setembro de 2013. Uma, por um jovem Black Bloc antes de pichar a parede de um banco na região da Sé; outra, por um policial militar com o qual eu ia conversando, descendo a Consolação. Às vezes, os atores antagônicos parecem menos distantes quando expressam suas insatisfações. Será que esse não deveria ser o centro de nossos debates? Esse desagrado agudo pela realidade do país, que se comunica das mais diversas formas e que está sempre presente?

Nesses dias de agosto, quando começávamos a pronunciar o termo Black Bloc, ninguém pensava que um ano depois, as mesmas cenas de conflito nas ruas continuariam se repetindo, obcecadas, percorrendo os meses desde o "Cadê o Amarildo?" ao "Não vai ter Copa". Eu mesma tinha a certeza, fundamentada não sei onde, de que seriam apenas alguns protestos violentos e, depois de algumas semanas, poderia recolher meu caderno e me retirar tranquilamente. Hoje me pergunto o que teria acontecido se ainda nessas primeiras semanas, os gestores políticos tivessem assumido a responsabilidade que lhes cabe, tivessem se esforçado por atuar como mediadores, oferecendo alguma resposta nesses momentos iniciais de violência. Não sei se o conflito social teria sido minimizado, mas, pelo menos, a população não teria a sensação de um poder público incapaz, furtivo.

Bem, primeira lição da noite do 1º de agosto: definitivamente, eles têm algo a dizer. A raiva que se desprendia de algumas frases falava muito. Eu só tinha que estar disposta a escutar.

Seguindo o ritual que caracterizaria todo um ano de protestos, a manifestação começou aparentemente tranquila, mas com um clima carregado de tensão. Adeptos do Black Bloc, Polícia Militar e jornalistas, os três atores onipresentes, reuniram-se às 17 horas na frente da Prefeitura. A confusão começou na avenida Brigadeiro, e a noite acabou com treze detidos levados ao 78º DP, na rua Estados Unidos, nos Jardins. Lá, aprenderia a segunda lição da noite.

O episódio teve lugar na frente da delegacia, para onde, depois de várias horas de manifestação, tinham sido conduzidos os detidos. Os outros manifestantes estava reunidos lá, porque "a gente nunca deixa de lado nossos irmãos de luta. Vamos estar aqui até que sejam liberados. Não dá para confiar nesses porcos (policiais). São presos políticos. Estamos juntos na luta".

Como protagonistas da cena abaixo, dois jovens mascarados e um jornalista de um grande veículo de comunicação nacional:

Jovem 1 (em tom agressivo e empurrando o jornalista com bastante hostilidade): "Você é um bosta, fascista! Vocês mentem, manipulam o tempo todo!"

Jornalista (visivelmente alterado pela situação): "Que é isso? Eu sou um trabalhador, cara. Estou fazendo meu trabalho! Sou mais um aqui. Vocês acham que meu trabalho é uma maravilha? Que meu salário é uma maravilha? Tenho uma família para sustentar".

Jovem 2 (afastando os dois e tentando tranquilizar o ambiente): "Deixa ele, cara. É um trabalhador que nem a gente. Ele é um explorado. Não tem culpa. A gente não é contra ele, e sim contra os chefes dele".

Observando a situação, um tanto perplexa ou um tanto desconcertada, me perguntava por que tanta agressividade contra um jornalista. Sim, um trabalhador de um grande império comunicativo cuja parcialidade desagrada a muitos, mas, trabalhador igualmente. A presença de um jornalista, algo tão frequente e que nada tem de extravagante nessa nossa sociedade da informação e do espetáculo, tinha suscitado aquele tumulto.

Aqui estava colocado um assunto relevante, o da informação. O jovem, insultando o jornalista, com essa retórica desafiadora, colérica e dirigida ao objetivo equivocado, estava provocando um questionamento evidente sobre a legitimidade dos meios informativos.

Por que o movimento Black Bloc tinha aceitado e continuaria aceitando minha presença com bastante abertura, mas recusava o diálogo com os grandes veículos de comunicação? Uma resposta contundente me foi dada algumas manifestações depois, no protesto do dia 23 de agosto de 2013, no momento em que um garoto de preto queimava um exemplar da revista *Veja*. Nesse dia, mais de 200 jovens da tática se reuniram no Largo da Batata, chegaram até a frente do prédio da editora Abril e fecharam a Marginal Pinheiros, em mais uma manifestação que acabaria em confronto com a polícia.

"Eles não querem escutar, saber a verdade. Só querem manipular. Por isso a gente não quer falar com eles. Para quê? Para que distorçam nossas palavras e escrevam o que querem? É tudo mentira."

Ao longo das manifestações, eu mesma me questionei sobre o papel da imprensa, sobre a responsabilidade daquele que possui, cria, constrói ou destrói a informação.

Nesse dia 1º de agosto, um jornalista anônimo tinha sido vítima de uma raiva desfocada, mas uma raiva que lançava uma mensagem taxativa: esses jovens queriam falar, mas não com qualquer um. Esse desprezo pela grande mídia era muito eloquente. Finalmente, a jornada acabou para mim quando fui embora da delegacia. Era meia-noite. Os detidos permaneceram lá. O protesto tinha começado às 17 horas. Durante todo o ano foram comuns manifestações extenuantes. Muitas horas caminhando, sem saber o momento em que a confusão ia acontecer, sem ter previsões, acumulando tensões entre manifestantes e polícias. Cansaço físico e emocional. Uma violência latente, pronta a explodir a qualquer instante. Quando cheguei em casa, entrei no Facebook do Black Bloc São Paulo e li o seguinte *post* que os administradores da página tinham colocado como resumo desse meu primeiro protesto:

"São Paulo, dia 1º de agosto de 2013. De um lado os vândalos, com rosto coberto, sem identificação, usando táticas covardes e um ódio infundado capaz de os transformar em bestas que atacam o que estiver à frente... do outro o Black Bloc."

No dia em que estou escrevendo este texto, 24 de abril de 2014, o Facebook do Black Bloc São Paulo conta com 55.453 curtidas. Os *posts* contra a Polícia Militar são sempre os mais compartilhados. É fácil reconhecer que o clima, esquentado durante a manifestação, extrapola e se nutre de um clima não menos impetuoso na rede, como se o espaço virtual fosse uma continuidade do espaço urbano, com os seus mesmos conflitos, inclusive sobredimensionados. Na rua, a manifestação tem hora de começo, hora de confronto e hora final. Na rede social, é uma manifestação ininterrupta, prolongada no dia a dia, que vai servindo de combustível até o momento do próximo encontro.

Últimas lições da noite: se o desprezo pelos meios de comunicação é enérgico, o rancor destes jovens contra a Polícia Militar é ainda mais categórico, tendo a rede social como palco que sustenta e reedita esses sentimentos, aumentando-os a cada protesto.

BLACK BLOCS, O ALVO É A COPA

"Vale a pena perguntar por que esses jovens chegaram ao ponto de enxergar na violência a única forma de ser escutados", diz Esther Solano, professora da Unifesp, que entrevista os adeptos da tática desde as manifestações de junho.

06/11/2013

Paulo Hebmüller, de São Paulo

Jovens na casa dos vinte anos, com emprego e acesso ao ensino superior, embora ambos de qualidade discutível; submetidos à precariedade dos serviços públicos do estado em áreas como saúde, transporte e educação; defensores de uma visão de mundo na qual atacar símbolos do capitalismo não pode ser considerado um ato violento, pois a verdadeira violência contra a população é praticada pelo sistema político e corporativo — dados como esses compõem o perfil dos black blocs de São Paulo, na visão da pesquisadora Esther Solano Gallego.

"Eles querem ser escutados, mas por alguém que tenha um olhar um pouco mais imparcial e se disponha a realmente entendê-los", diz a professora de Relações Internacionais na Universidade Federal de São Paulo (Unifesp). Esther vai às ruas desde junho — primeiro como manifestante; depois, com o colega Rafael Alcadipani, professor da Fundação Getúlio Vargas, passou a conversar com diferentes grupos para procurar entender suas motivações.

A pesquisa acabou centrada na dinâmica entre os policiais, a cargo de Alcadipani, e os adeptos da tática black bloc. É ao lado deles que a professora fica nas manifestações. O objetivo do trabalho, de acordo com Esther, não é emitir julgamentos ou defender quaisquer dos lados, mas sim tentar entender um fenômeno social que cabe aos pesquisadores conhecer.

Uma das questões que agora ocupam a pesquisadora tem a ver com a criação de uma força-tarefa, unindo Ministério Público e as polícias Civil e Militar, anunciada pela Secretaria da Segurança Pública de São Paulo no início de outubro. O secretário, Fernando Grella Vieira, defende o indiciamento dos black blocs por associação criminosa.

Na entrevista a seguir, a espanhola Esther Solano — que se doutorou em Ciências Sociais em meio à crise econômica em seu país e veio para o Brasil em 2011, diz que é difícil saber se as medidas levarão os jovens a radicalizar suas ações ou a retroceder por medo da prisão. Certo mesmo é que por enquanto os adeptos da tática permanecem nas ruas, e que seu objetivo é chamar a atenção do mundo — literalmente — na Copa de 2014, cuja abertura coincidirá com o primeiro aniversário das grandes manifestações de junho.

Brasil de Fato — Com quantos jovens que utilizam a tática Black Bloc você já conversou?

Esther Solano Gallego – Mais ou menos trinta. Comecei a falar com eles porque me parece muito importante entender o que está acontecendo, e a única forma de entender é sair para a rua e conversar com eles, o que para mim, por paradoxal que pareça, é muito fácil. Esses jovens não consideram os meios de comunicação de massa seus interlocutores. Mas, quando eu me apresentei como professora e pesquisadora, me aceitaram muito bem.

Qual o perfil que você já identificou neles?

É bem heterogêneo. Temos que diferenciar: há aqueles que sabem realmente o que significa a tática black bloc, leem e sabem articular um discurso mais ou menos politizado, e que são a grande maioria dos que entrevistei. Mas claro que há alguns que simplesmente aproveitam o momento de caos para cobrir o rosto. Tenho tentado conversar com eles também, porque acho que estão representando sua própria forma de violência. Mas são a minoria na minha pesquisa, e essas conversas não têm dado muitos frutos. Em relação ao primeiro grupo, são jovens que têm um projeto político, que quando saem para a rua para quebrar um banco entendem que esse gesto tem um significado. Os mais novos têm dezessete anos, mas em geral a idade vai de vinte a vinte e quatro anos; a grande maioria trabalha, muitos estudam. Há alguns formados, a maioria em universidade particular, mas há também gente de universidades públicas como a USP. A maioria é de classe média baixa. São usuários do transporte público, do SUS, da escola pública, mas a maioria não vem daquela periferia mais pobre e excluída.

Eles fazem parte do que vários estudiosos têm chamado de um subproletariado que vem crescendo muito nos últimos anos no Brasil?

A maioria, sim. São jovens que trabalham há pouco tempo, mas já conhecem bem a precariedade do estado. Friso novamente que a maior parte não é daquela periferia que praticamente não tem acesso às manifestações.

Que tipo de leitura e formação política têm esses jovens com quem você conversa?

Tem de tudo. Alguns leram bastante os anarquistas e articulam bem essa linguagem. Outros não leram tanto, mas têm uma visão política bem articulada. São basicamente duas coisas: a grande maioria possui uma visão política mesmo — talvez não a da academia —, e enxerga bem o que quer fazer. Vale a pena reiterar que a maior parte dos jovens que entrevistei tem um pensamento definido como base de suas ações, o que não impede que, em momentos de manifestações maiores, apareçam indivíduos com muito menos articulação ou que simplesmente se aproveitam do momento.

Há alguma conexão com a origem dos black blocs na Alemanha do final da década de 1980 e com os chamados movimentos antiglobalização dos anos de 1990?

A maioria dos que entrevistei não pensava no que era o black bloc antes das manifestações. Muitos falam que começaram a pensar nisso depois daquele protesto do dia 13 de junho (no centro de São Paulo), quando a Polícia Militar, como eles dizem, "chegou batendo". Alguns já tinham lido alguma coisa, mas a grande maioria se envolveu pela ação e reação do momento.

Como você analisa a acusação de que eles são fascistas e estão a serviço de outra causa que não é a intenção original das manifestações?

Acho que aí existem duas coisas. Primeiro, que a esquerda mais institucionalizada, mais partidária, talvez se sinta muito afastada do que aconteceu. Minha percepção é de que há um certo ressentimento com isso, porque ninguém contou com os partidos de esquerda, com os sindicatos ou com os movimentos tradicionais para ir à rua. Outro aspecto é que, em todas as conversas que tive com eles, não percebi nenhuma indicação de que sejam manipulados ou de que respondam a outro grupo. Creio que a motivação é a indignação própria, e que eles têm um grau de autonomia suficiente para não ser movidos por outro grupo.

O anticapitalismo é o discurso mais forte?

Uma jovem me deu uma ótima explicação: em São Paulo a ação começou com o discurso black bloc internacional, de anticapitalismo e ataque aos símbolos do capital, mas depois foi se apropriando do discurso das manifestações brasileiras. Ou seja, talvez não tanto contra o capital, mas incorporando as bandeiras e as reivindicações dos protestos: mudanças e melhoria do sistema político de forma geral. O anarquismo é a inspiração, mas, durante as conversas, aparecem muito mais a precariedade do estado brasileiro e a violência institucional do que as ideias anarquistas como motivações de sua presença nas ruas.

Eles também se colocam como a linha de frente contra a polícia, não é?

Eles dizem que nunca convocam as manifestações, e que vão à rua para proteger os manifestantes. São duas ações:

uma que eles chamam de proteção — a linha de frente —, e outra, de ação direta. Essa é a forte agora: chamar a atenção, "dar um grito", utilizando a violência como forma de expressar a indignação. Vale a pena perguntar por que esses jovens chegaram ao ponto de enxergar na violência a única forma de ser escutados.

Os black blocs de São Paulo já podem ser considerados um grupo?

Eles sempre falam que o black bloc não é um grupo, mas uma tática. No final das contas, não são muitos os que saem na rua. Acho que no Rio de Janeiro o movimento é maior. Em São Paulo, não são tantos assim, e acabam sendo as mesmas pessoas que a polícia já levou para a delegacia, já identificou etc. Há também outros que vão aparecendo, que simplesmente cobrem o rosto, e aí você perde a noção de quem é quem. As novas medidas da Segurança Pública em São Paulo podem representar um ponto de virada. Quase todos os black blocs, digamos, mais frequentes já foram para a delegacia. Os policiais também muitas vezes são os mesmos. Então já pedem a documentação, revistam as mochilas etc. Imagino que a polícia saiba quem é a maior parte deles.

Eles têm receio de ser presos e processados, agora que o estado anunciou o endurecimento da reação?

Sem dúvida. Os que já têm uma passagem por delegacia receiam ser presos novamente e considerados reincidentes. Agora podem ser enquadrados até por formação de quadrilha. Processar por associação criminosa me parece excessivo, embora deva dizer que não tenho grande conhecimento do Direito em geral e do brasileiro em particular. Mas a questão é que os delegados passam a ter legitimado pelo estado o poder de fazer esse enquadramento. O estado, no seu papel de protetor da propriedade pública e privada, está se valendo de seu aparato policial e jurídico para propor o endurecimento das penas.

Você já teve algum problema nas manifestações?

Nunca. Comigo os jovens são muito respeitosos, e a polícia também. Isso também pode parecer paradoxal em razão das cenas de violência nas manifestações, mas o fato é que minha experiência destes meses nas ruas é esta, tanto com os policiais como com os black blocs. Mas claro que fico com um pouco de medo quando começam a aparecer pedras e bombas.

O que eles acham de ser chamados de vândalos ou baderneiros?

Eles são absolutamente contra essa dicotomia criada entre o "bom manifestante" e o "ruim", categorias que a imprensa coloca para tentar defini-los. Eles dizem que o que fazem não é violência, é performance — é um tipo de espetáculo, em que querem atingir símbolos para chamar a atenção. O discurso é de que a verdadeira violência é a de um sistema político que não dá respostas para a população e que mantém, por exemplo, índices altíssimos de homicídios e de mortes no trânsito. Para eles, a violência é a do sistema, e o que fazem é chamar a atenção para essa violência política e corporativa.

Críticos no mundo dizem que essa tática nem sequer arranha o capitalismo.

É. Inclusive há todas aquelas incoerências do tipo quebrar um banco, mas usar iPhone. Isso é parte do paradoxo humano. Claro que eles sabem que o dono do banco não está nem aí quando depredam uma agência — mas que conseguem chamar a atenção sobre as coisas que para eles estão equivocadas, tanto no governo quanto na ordem econômica, isso conseguem, até porque de fato a espetacularização dos acontecimentos por parte da imprensa é evidente. Agora, baseada na constatação de que as ruas estão ficando esvaziadas, já presenciei diálogos entre eles sobre se a população está entendendo ou não o que eles tentam fazer.

Você esteve na manifestação do dia 25 de outubro, quando o coronel da PM Reynaldo Simões Rossi foi agredido?

Não, mas depois conversei com algumas pessoas que foram. O fato é que o Movimento Passe Livre (MPL) tem muita capacidade convocatória, então conseguiu juntar bastante gente que utiliza a tática black bloc. Como já disse, é um movimento muito heterogêneo, e entre eles há quem acredite numa violência mais focada e mais simbólica, e outros que acreditam numa violência mais pesada; os que são mais articulados e os menos, como aliás em todo grupo social. Quando você junta tantas pessoas, num estado de emoções à flor da pele — o componente emocional é muito importante —, com grandes tensões com a polícia, era claro que ia acontecer o que aconteceu. À noite é quando a tensão aumenta e todo mundo vai perdendo a paciência. É sempre o pior momento das manifestações.

Você conhece os rapazes que foram presos?

Os que eu conheço não foram presos. Sei que houve prisão de gente do MPL, anarcopunks etc. Ou seja, foi uma manifestação bem heterogênea. Não dá para falar que só havia black blocs.

Você acha que, com o episódio do espancamento do coronel, a PM e a Justiça vão endurecer definitivamente as ações contra os black blocs?

Claramente as políticas vão endurecer. O governador Alckmin já falou da necessidade de penas mais rígidas para quem agride policiais. O espancamento do coronel Reynaldo vai esquentar muito os ânimos. Foi uma agressão filmada, transmitida em todos os meios de comunicação, e espetacularizada, de um PM de alta patente. Depois houve a resposta da presidenta Dilma oferecendo ajuda à PM de São Paulo. É claro que isso vai trazer como consequência uma série de respostas institucionais, radicalizando o discurso, tanto em nível policial como jurídico. O problema será entrar numa dinâmica de ação-reação violenta na qual as posturas dos dois lados endureçam.

O black bloc veio para ficar?

Pelo menos por enquanto, sim. Mas, a partir dessas medidas do governo, será que eles vão se radicalizar? Ou vão retroceder com medo de ser presos? Não sei. De qualquer maneira, a Copa está aí e o foco deles é fazer um espetáculo nela para chamar a atenção de todo o mundo — de todo o mundo mesmo! Pode até acontecer de a ação policial ser muito dura e conseguir esvaziar o movimento. Afinal, eles são jovens de vinte e poucos anos, e é possível que fiquem com medo de ser presos. Mas a ideia é estar na Copa.

E logo depois tem a eleição...

A espiral da violência vem aumentando. Estou preocupada com o que possa vir a acontecer no ano que vem.

CAPÍTULO 3.

QUEM SÃO ELES? DA USP AO CAPÃO REDONDO

“Sou estudante e trabalho num banco. Depois coloco a máscara e viro black bloc.”

Quando fui à rua pela primeira vez, meu senso comum me dizia que o Black Bloc estaria composto só por pessoas daquela periferia mais excluída, mais pobre, a periferia negra, acostumada a se relacionar, ou forçadas a conviver com as violências estruturais do país, e cuja resposta seria, de forma natural, outro tipo de violência. Nada mais absurdo que o senso comum. É o maior obstáculo para entender o mundo. As questões sociais sempre surpreendem.

A pesquisa seguiu o método da observação e da conversa, a forma mais idônea para captar a complexidade do fenômeno. Não tenho, portanto, dados estatísticos sobre o perfil socioeconômico dos manifestantes ou outras variáveis quantitativas de interesse, porém, ao longo de todas as manifestações, de todos os diálogos, algumas características se destacam, e evidenciam que os contornos sociais do Black Bloc paulistano são menos delineados do que inicialmente se pensaria.

Claro, estamos tratando com jovens e de jovens. Convergem para o Black Bloc adolescentes desde catorze, quinze anos, alguns dos quais acabariam as noites de protesto na Fundação Casa, até adultos na faixa dos vinte, trinta anos, vários deles pais e mães de família com crianças pequenas. Até aqui nada de diferente ou estrambótico. A manifestação costuma ser lócus de juventude. Afinal, só ela para ter a expectativa, entre inocente, às vezes desfocada, e combativa, da mudança.

E sobre seu nível de escolaridade e educação formal? Nesses tantos meses deparei-me com uma grande miscelânea. Desde estudantes da USP, estudantes de universidades particulares de médio ou baixo reconhecimento, trabalhadores, até estudantes de escolas públicas de regiões urbanas mais periféricas. Desde aqueles com elevado nível de educação institucional e articulação política, com um discurso definido e muito preciso, até meninos que não sabiam me explicar as causas de sua ação nem de suas reivindicações ou que adotavam as informações postadas em diversas páginas do Facebook como fonte de formação ideológica. Todos eles estavam na rua, de preto e de máscara.

Embora tenha encontrado mascarados que eram estudantes do Largo São Francisco (Faculdade de Direito da USP), se tivéssemos que traçar um perfil comum dos adeptos que tiveram mais presença nas ruas e na tática, daqueles com maior continuidade, mais engajados, que ao longo do ano estiveram envolvidos nas manifestações e nas ações diretas, poderíamos dizer que são filhos daquela "classe C", "classe consumidora", que começou a ter poder de compra depois do lulismo. Jovens cujos pais viveram uma situação econômica complicada, mas já eles (os jovens) puderam ter acesso à universidade (geralmente particular), trabalhando para pagá-la ou aderindo a programas como o Fies ou Prouni. Osasco, Grande ABC, Brasilândia... Jovens que não nasceram no berço esplêndido prometido pela História, mas tampouco nas sombras do sistema. Estudam, trabalham desde os catorze, quinze anos, sabem o que é uma vida esforçada, mas ao mesmo tempo têm acesso ao estudo, à informação e à crítica.

Interessante escutar como eles mesmos, nas suas conjecturas, esperavam encontrar números mais expressivos de jovens vindos das regiões faveladas, de jovens negros, inclusive de baixa escolaridade. Expectativa que pode ser confirmada pelos depoimentos abaixo, colhidos durante as manifestações:

> "O pessoal da periferia não está aqui. Eu sou de Capão Redondo e vim sozinho. Ninguém queria vir junto, estão anestesiados... nascem assim, pensando que nada vai mudar. Muitos nem sabem o que acontece. Pensam que a polícia os protege! Também têm medo de perder o trabalho, eu mesmo trabalho no Banco do Brasil e tenho medo. A periferia deveria estar toda aqui porque é a que mais sofre!!" (02-08-2013)

> "O nosso grande desafio é esse, que a periferia se junte a nós. O dia que eles se juntarem, aí, sim. Aí a revolução vai. Alguns de nós estão tentando se organizar para acompanhar as reintegrações de posse, dar um apoio, justamente para que eles saibam que estamos nas ruas por eles, que nossa luta é a luta deles." (07-09-2013)

Várias vezes tenho escutado por parte dos integrantes a avaliação de que se contassem com o apoio contundente da periferia urbana, a força da tática seria muito maior, irreversível. Lembro-me de uma conversa com um jovem no dia 23 de abril de 2014, depois de mais de trinta ônibus serem incendiados em Osasco. Nós discorríamos sobre a onda de ataques que vinha ocorrendo em São Paulo, com os ônibus como alvo, foco de um certo tipo de revanche popular. Numa primeira percepção, algo distante da realidade do Black Bloc. Na sua essência, talvez, nem tanto.

> "É isso mesmo. O Black Bloc inaugurou uma forma de protestar utilizando a violência e agora as comunidades vão junto. É o sucesso

da tática. Levar o protesto para a favela. Isso mesmo, esses ônibus queimados são tática também. Quando a favela se junta a nós, aí sim, aí é para valer."

Embora essa nova representação, uma das minhas conversas mais marcantes foi com um jovem de Capão Redondo sem escolaridade, camelô, pai de família, que já havia sido detido várias vezes. Um dia, depois da manifestação de 30 de agosto de 2013, pedi que ele me contasse sua história, seus porquês. A primeira reação foi de dúvida. "Mas você, professora, doutora, quer me ouvir? Eu que não tenho estudos? Eu falo o que sinto. Se a senhora quiser ouvir..." Quebrada a barreira detestável de que só tem direito à fala aquele com educação formal, ele começou a explicar suas razões. Faço questão de colocar aqui este monólogo cuja última frase deixou-me entre pensativa e perplexa por ser do tipo de lucidez que chega em palavras simples, como de quem aprendeu da vida e não do livro: *"Fizeram tudo para a iniciativa privada, não fizeram para nós. É tudo para eles e nada para a gente. Aí que está o problema"*.

> "Falar que é só contra o capitalismo não resolve nada... a gente quebra porque não tem espaço para nós... eles constroem esses prédios em vez de construir um Senai para os meninos, para dar uma profissão, um lazer a eles... o protesto é contra a propriedade privada... se é privado foda-se, temos que ter espaço para a gente... mas estes moleques (os outros Black Blocs) não querem saber de nada, só quebrar, precisa de alguém para botar uma ideia neles, não têm experiência de vida... falar quebro porque sou contra o capitalismo, uma bosta!... são essas construções que fazem o capital crescer... Pega esse espaço que nem o *shopping* JK (estávamos passando pela frente) e faz espaço para toda a população... temos que tomar na marra os terrenos privados, temos que ocupar mesmo,

aí que está o capital... mas falta organização para controlar esta molecada... espera aí, por que estão quebrando?... fizeram tudo para a iniciativa privada, não fizeram para nós. É tudo para eles e nada para a gente. Aí que está o problema."

Mais um dado interessante. Se de fato a periferia mais excluída não está retratada na escala que se esperaria, isso não significa que esteja ausente do universo simbólico desses manifestantes. Aquela periferia, que não é um lugar e sim um conceito, que não é geografia e sim experiência. De forma contínua, existe uma incorporação da realidade e do discurso da favela ao contexto Black Bloc.

Essas duas falas, praticamente idênticas, simétricas, pertencem uma a um garoto da zona Leste, morador de um bairro vulnerável da cidade, e outra, a um estudante de classe média que nunca conheceu, como ele mesmo admitiu, essa realidade da periferia. A favela incorpora-se à avenida Paulista. Seus discursos se emaranham:

"Todos os meus amigos são da região leste, de favela mesmo. Um deles foi morto pela PM, professora. Dá um ódio... Porcos fardados. Por isso estou aqui. Tenho raiva, ódio, mas sei que na minha comunidade não posso fazer nada. Aqui na Paulista é diferente. Posso me manifestar." (25-01-2014)

"A polícia mata na periferia. Aqui o pessoal está assustado pela bala de borracha, mas na favela, é bala mesmo! Matam muito lá... não dá mais, isso dá raiva, ódio deles. Além disso, as pessoas da periferia são maltratadas. Olha a precariedade de lá... nem saúde pública, escolas sucateadas, demoram horas nos ônibus, e o governo nem aí com eles." (01-08-2013)

Decididamente não deixou de ser curioso escutar alguns jovens brancos, estudantes de universidades federais, protótipos dessa tal classe média brasileira, que ninguém sabe bem se existe ou como se define, defendendo que a ação deles como Black Bloc tinha tudo a ver com a situação de exclusão do negro, do pobre.

Quando apareceram os manifestantes de preto nas ruas brasileiras? A história dos Black Bloc nos remete ao movimento autonomista alemão dos anos 80, às lutas antiglobalização, às manifestações de 1999 contra a OMC, em Seattle, e em 2001, contra o G8, em Gênova.

No Brasil, muitos desses adeptos que ocuparam o espaço urbano depois de junho, pouco têm a ver com os movimentos antiglobalização mencionados. Segundo suas próprias narrativas, a maioria dos que aderiram à tática Black Bloc nas ruas de São Paulo o fez depois das manifestações de junho, motivados pelo que eles consideraram "ação policial excessiva contra os manifestantes". Alguns tinham conhecimento prévio do significado do Black Bloc, mas uma boa parte só teve contato teórico e prático com essa realidade depois que começaram a circular na internet diversas informações sobre a tática como "resposta à ação policial de junho".

Sempre predominou nos depoimentos o discurso de que o Black Bloc, tal como ficou configurado hoje em dia, foi uma reação mais radical à situação verificada nas jornadas de junho e, mais especificamente, uma consequência dos enfrentamentos com a polícia durante aqueles dias.

O trecho que segue é bem característico a esse respeito. É o depoimento de uma jovem de vinte e dois anos, que esteve presente em todas as manifestações de junho e adotou a tática depois do dia 13, data da famosa subida da rua da Consolação. Ela afirma que nunca havia ouvido a expressão Black Bloc antes desse dia:

> "Eu estava em junho, protestando. Fui a todas as manifestações de junho. Sem máscara, nada, normal. Pensava que era importante estar lá, como cidadã. Vi meus amigos sendo espancados pela

polícia. Vi o que aconteceu na Consolação no dia 13. Desde então, só com violência. Eles não respeitaram nada, não respeitaram a manifestação pacífica. Se querem violência, terão violência. Não sei, parece que me decepcionei, agora não acredito mais na mudança pacífica." (04-09-2013)

CAPÍTULO 4.
O PORQUÊ. O DESCANSO E A VIOLÊNCIA

"Protesto pacífico só marcha por Jesus."

Desde que as manifestações começaram, a sociedade brasileira, inquieta e estupefata, tem colocado de forma recursiva uma série de perguntas que não consegue responder com facilidade. Por que o vidro quebrado? Por que o molotov? Por que o preto e a máscara?

O que motiva esses jovens a se manifestarem utilizando a violência como um meio de expressão? Por que eles simplesmente não aderem às manifestações "pacíficas" e continuam com esse modelo já legítimo de apresentar suas reivindicações?

Um dia, o porteiro do meu prédio, na região de Brooklin, vendo tanta imprensa que vinha me entrevistar, perguntou, curioso, qual era o meu trabalho:

— Gostaria de saber se posso perguntar: qual é o trabalho da senhora, que sempre tem tanto jornalista à sua procura?

— Claro que pode perguntar! Sou professora, mas eles vêm porque estou fazendo uma pesquisa sobre os Black Blocs. Sabe? Os mascarados das manifestações...

— Eita! Esse povo doido?

Meses depois, um vizinho, igualmente curioso pela situação de ver tantos jornalistas com câmeras no ombro no prédio, coisa que não deixava de ser um tanto esdrúxula, me perguntou de novo. Desta vez, a reação foi bem mais contundente:

> "Bah, baderneiros, filhinhos mimados todos, que não sabem o que fazem da vida. A polícia tinha que acabar com eles. Bota todo o mundo na cadeia e acabou o problema. Para mim, bando de criminosos, só isso".

Doidos ou criminosos. O porteiro e o vizinho, vindos de realidades sociais tão diferentes, partilhavam do mesmo sentimento.

"Tá certo, professora. A gente tem que entender. Não sei se é porque não tem autoridade em casa, porque a sociedade não tem valores, mas essa molecada está muito violenta. Isso não é bom para ninguém", disse o porteiro.

Do vizinho, nunca mais soube, mas o porteiro, depois de algumas voltas e divagações, encerrou nossa conversa com uma perspicácia simples que gostaria de encontrar por aí com mais frequência. "*A gente tem que entender.*"

Entender as razões da violência nas ruas tem sido o objetivo da minha pesquisa desde o começo. De fato, deduzir as violências que transpassam uma sociedade é sempre uma das formas mais diretas e inequívocas para conhecê-la a fundo. A violência transmite muito sobre as questões íntimas do conjunto social, suas trevas, suas sombras, as que não ficam expostas ou se exibindo ostensivamente, mas determinam muito de seus comportamentos.

Durante todas as conversas era irrefutável uma convergência total das justificativas utilizadas pelos adeptos para explicar a tática Black Bloc e descrever o próprio comportamento. Jovens estudantes de classe média, jovens de periferia, menores, adultos... O conteúdo das respostas era sempre muito parecido e acabou sendo até previsível, cada vez que perguntava sobre a legitimidade da ação direta. A explicação, breve, decisiva e sem dar espaço para inseguranças ou interrogantes: a violência nasce da certeza de que os protestos pacíficos não geram resultado político efetivo nenhum e da descrença absoluta e firme nas instituições políticas do país.

> "Como eu sempre digo, se queremos paz, temos que guerrear por ela... Protesto pacífico não adianta nada. O governo não está nem aí. A senhora viu junho. Isso foi histórico. Eu estava lá, pacífico. Então nem pensava em violência, nem sabia o que era Black Bloc. Que mudança houve? O governo escutou? É só a violência que eles escutam. Virei Black Bloc. Agora só violência, só ameaça. Não acredito neles, são todos uns corruptos e não querem o bem do povo. Também não acredito no sistema. Só a violência para mudar alguma coisa." (25-01-2014)

Muitos me disseram que tinham se manifestado em junho, ainda sem adotar a tática. O resultado, sempre o mesmo. Nada. As reformas estruturais demandadas não chegavam, portanto, segundo os depoimentos, a radicalização se apresentou como a única saída possível para suscitar alguma mudança e expressar um sentimento de enorme repúdio.

> "O protesto nunca pode ser pacífico, a partir do momento que o governo não muda, não faz nada. Não, não pode ser pacífico... Só quando é agressivo reagem, eles se sentem ameaçados, com medo... Sim, vai piorar, vai virar guerra civil. É só na guerra que eles reagem? Então vai ter guerra, Esther. A cidade vai virar guerra. A periferia já é guerra, eu conheço bem, sou de lá, mas vamos trazer a guerra para o Centro. Só assim alguma coisa vai acontecer, na base do medo mesmo. É o único jeito." (08-09-2013)

Um jovem universitário me disse esta frase depois da intensidade vivida na manifestação do dia 7 de setembro de 2013, uma das mais longas e agressivas de São Paulo. Sua fala era muito frontal, sem desvios. Estava colocando seu rancor, cru, na conversa. Talvez chegando em casa, mais tranquilo, não falasse mais de guerra, mas a repulsa que ele sentia, como muitos outros, era uma realidade.

Repulsa contra o quê? Contra tudo. Contra nada limitado ou específico. Não contra um partido determinado ou contra uma figura política. Contra uma ordem de coisas, um contexto, uma realidade. Duro escutar de um jovem que mal começou suas experiências políticas essas palavras de aversão e a infalibilidade de que só a violência gera respostas. "É o único jeito."

Da nossa conversa, ficou um certo sentimento de angústia. Ele tinha verbalizado amplamente sua raiva. Acho que, depois disso, virou mais pesada, mas sólida. Tomou forma. Ainda o vi outras vezes jogando pedras e sendo detido. Era essa mesma raiva. Eu, cada vez mais convencida de que a decepção é o conceito-chave para entender nosso contexto político. Decepção, talvez seja a palavra que eu mais tenha escutado em junho de 2013, a palavra que mais tenha escutado da boca dos adeptos do Black Bloc e talvez seja a palavra que mais escuto de meus alunos quando conversamos sobre política. A raiva, em suas diversas intensidades, não é um sintoma dessa indignação, dessa decepção?

A maioria das motivações expostas pelos adeptos do Black Bloc sobre as razões de sua presença nas ruas é extremamente parecida às dos manifestantes de junho: um sistema que destrói continuamente o cidadão, a falta de trato digno para a população, um contexto político supostamente corrupto e insensível às demandas sociais, a ausência de oportunidades... Um compêndio completo de desilusões, iguais para uns e para os outros, se revelando de diferentes formas.

O grande dia

Dia 13 de junho de 2013. No meio do espasmo coletivo que arrasou a rotina da cidade, ouvi a seguinte frase de um senhor que tinha levado os filhos para a manifestação: "*A gente se manifesta para dar um basta no descaso público*". Meses depois, num clima muito mais tenso, com a violência já instalada nas ruas, voltei a ouvir os mesmos ecos, dessa vez, vindos de um adepto da tática Black Bloc. Eram os momentos prévios ao protesto do dia 25 de outubro de 2013. "*O descanso público é a razão do Black Bloc agir.*"

Esses paralelismos me fascinam porque escondem vestígios muito eloquentes. De repente o que parece tão afastado se aproxima. O descaso público. E a pergunta de sempre: quem vai responder, mesmo que de maneira inicial e balbuciante, a esse sentimento de maltrato, a esse desencantamento? A percepção geral das pessoas anônimas, não só dos manifestantes, é de que continuamos sem respostas políticas ao desafio colocado em junho pela população. Basta uma simples conversa para entrever esse sentimento. Na ausência de iniciativas políticas, as reclamações sociais continuam e, claro, não dá para pretender que sejam delicadas ou serenas. Acumular omissões é uma atuação suicida, e leva à violência como um caminho natural dos que se cansam de esperar.

> "Demoro duas horas para chegar ao trabalho. E nem vou falar sobre a qualidade do trem ou do ônibus. Vergonha. E depois ainda tem gente que se assusta porque o pessoal começa a quebrar um terminal ou um trem. Ah, vai! É muito maltrato. A gente paga para ter esses serviços de merda. Que ninguém venha reclamando da violência porque é natural, pô! Estava demorando muito em chegar. O brasileiro aguenta muito, é um povo submisso, mas tem seu limite. Chega, não tem mais conversa."

Uma jovem Black Bloc raciocinava dessa forma comigo, no dia 21 de maio de 2014, durante a greve dos motoristas de ônibus que assolou São Paulo, provocando um caos logístico. Tudo se resumia na última frase, *"chega, não tem mais conversa"*.

Não só ela, muitos outros compartilham esse mesmo pensamento. Para quem está convencido de que não tem mais diálogo, a violência, em seus diversos níveis, é a única possibilidade. Resultado direto de omissões e negligências contínuas.

Facebook Black Bloc SP Fase II (10 de abril)

© Wesley Passos

CAPÍTULO 5.

PRAÇA ROOSEVELT: EMBATE NO LUGAR DO DEBATE

"Mas como assim tanta polícia?
Não tinha visto isso desde a ditadura!"

Dia 1º de julho de 2014. Debate público na praça Roosevelt pedindo a libertação de Fábio Hideki e Rafael Marques, presos pela Polícia Civil durante as manifestações da Copa do Mundo. Segundo declarações de Fernando Grella, secretário de Segurança Pública do Estado de São Paulo, eram "os primeiros casos de 'black blocs' presos em flagrante por incentivar a prática de crimes". Para o governo de São Paulo, casos exemplares de punição e troféus eleitorais. Imagino que para a sociedade paulista de forma geral, merecedores da prisão. Para os manifestantes: presos políticos.

Como sempre, os diferentes vértices do prisma incompleto da realidade. O que pretendia ser um ato reunindo coletivos, movimentos sociais e professores de universidade, virou um dia realmente triste. Cheguei às 18 horas e a praça estava cercada de policiais militares, incluindo a Tropa de Choque e a Cavalaria. Reconheço que poucas vezes, ao longo deste ano de protestos, me senti tão inibida pela presença da polícia como nesse dia. O ato tinha presença de adeptos da tática, a maior parte recém-chegados do trabalho, sem máscara e sem as roupas pretas, inclusive alguns de terno. Imediatamente me perguntei se a polícia também os reconhecia, como eu, mesmo vestidos como cidadãos comuns, de rosto descoberto.

Num determinado momento, um morador de rua foi preso pelo Choque. As pessoas presentes no ato passaram a gritar: "solta, solta!", e, claro, a bomba, o tumulto e a correria. Demorou apenas um minuto para a confusão começar.

Uma senhora já idosa, que tentava atravessar a rua para chegar em casa, me dizia: "Mas como assim tanta polícia? Não tinha visto isso desde a ditadura! Que loucura é esta? Voltamos a esses tempos?" Era a primeira vez que escutava de uma pessoa dessa idade um questionamento semelhante, mas voltei a ouvir muitas vezes a mesma palavra no decorrer dessa noite e nos dias que se seguiram nas descrições do acontecido.

Na manhã seguinte uma ligação de uma jornalista da agência Reuters me acordou cedo perguntando: "Se era só um debate com professores e movimentos, por que tanta polícia?" A minha resposta não podia ser outra se não que, depois de um ano de manifestações com violência e sem o menor movimento do Poder Público, com a PM e os manifestantes em tensão crescente o tempo todo, e ainda durante a Copa e com as eleições chegando em apenas três meses, essa mistura de tensões, negligências políticas e instrumentalização eleitoral, tinha confluído no debate programado para o dia 1º de julho na praça Roosevelt.

Nesse momento, eu também me perguntava por que tínhamos chegado a esse ponto tão desagradável para todos? Um ano atrás, nas manifestações de junho, não esperaria encontrar essa situação, pessoas, repetindo o tempo todo que "nos anos de chumbo era assim mesmo. A polícia reprimindo uma reunião de movimentos e intelectuais". Escutar de manifestantes e professores continuamente, tantos anos depois que estamos vivendo uma situação antidemocrática, que "a ditadura voltou" não deixava de me parecer sintomático de que alguma coisa estava errada. E, como sempre, faltou à sociedade se perguntar o porquê de tudo isso...

DIREITOS SUSPENSOS: RELATO DE UM DEBATE EM PRAÇA PÚBLICA

A PM prendeu arbitrariamente e provocou os presentes o tempo todo. A comparação com a ditadura não é mais metafórica.

Por Pablo Ortellado — publicado em 02/07/2014 12:30

CartaCapital

Colunistas Blogs tvCarta

Política Economia Sociedade Cultura Internacional

Você está aqui: Página inicial / Sociedade / Direitos suspensos: relato de um debate em praça pública

Sociedade

São Paulo

Direitos suspensos: relato de um debate em praça pública

A PM prendeu arbitrariamente e provocou os presentes o tempo todo. A comparação com a ditadura não é mais metafórica

por Pablo Ortellado — publicado 02/07/2014 12:30, última modificação 03/07/2014 13:09

Participei na noite desta terça-feira 1º do debate público pela liberação dos presos políticos que aconteceu na Praça Roosevelt, em São Paulo. O debate tinha por objetivo divulgar a prisão, semana passada, de dois manifestantes que protestavam contra a Copa com base em evidências muito frágeis. Tratava-se de um debate e não de uma passeata de rua - havia uma mesa e oradores simplesmente falariam para um grupo de cerca de mil pessoas sentadas no chão.

Apesar de ser apenas um debate, bem no meio da praça, a Polícia Militar enviou centenas de policiais da Tropa de Choque e da cavalaria, prendeu arbitrariamente e provocou os presentes

Mídia Ninja

Participei na noite desta terça-feira 1º, do debate público pela liberação dos presos políticos que aconteceu na praça Roosevelt, em São Paulo. O debate tinha por objetivo divulgar a prisão, semana passada, de dois manifestantes que protestavam contra a Copa com base em evidências muito frágeis. Tratava-se de um debate e não de uma passeata de rua — havia uma mesa e oradores simplesmente falariam para um grupo de cerca de mil pessoas sentadas no chão.

Apesar de ser apenas um debate, bem no meio da praça, a Polícia Militar enviou centenas de policiais da Tropa de Choque e da Cavalaria, prendeu arbitrariamente e provocou os presentes o tempo todo. A sensação de todos nós é que a comparação com a ditadura não é mais metafórica. Simplesmente a liberdade de reunião e a liberdade de manifestação estão suspensas. Também como nos anos de chumbo, quem está dentro da ordem, apenas acompanhando e torcendo pelos jogos, nem percebe as graves violações pelas quais o país está passando.

Fui convidado para fazer uma breve fala pelos organizadores do ato-debate. Cheguei com minha companheira Beatriz Seigner e encontrei logo amigos e conhecidos como o escritor Ricardo Lisias, o padre Júlio Lancellotti, os professores da Unifesp Edson Telles e Esther Solano, além de muitos outros, inclusive vários colegas professores da Faculdade de Direito da USP.

Assim que cheguei, o advogado Daniel Biral, do grupo Advogados Ativistas, me cumprimentou e contou que o coronel que comandava a operação o tinha abordado e perguntado em tom ameaçador quem ele estava representando — ao que respondeu, "estou representando a democracia".

Como a polícia cercava toda a praça, muitos dos que chegavam eram revistados. Como relatou o *site* da *Veja*, a revista incluía perguntas sobre livros "suspeitos" que as pessoas carregavam, como a biografia de Marighella, de Mário Magalhães. Todos os revistados tinham o nome e o número do RG anotados. Muitas pessoas não entraram na praça por medo de serem revistadas e presas.

Já na praça, enquanto os presentes aguardavam o começo do debate, dois policiais com armamento de choque e carregando uma filmadora passavam pelas pessoas e filmavam muito de perto o rosto de cada uma, em tom provocativo e sem qualquer motivo. Certamente esperavam alguma reação indignada para que pudessem revidar com bombas e agressões. No entanto, as pessoas apenas gritaram palavras de ordem contra a ditadura. Quatro outros policiais da Tropa de Choque fizeram um cordão de proteção em torno deles e, durante todo o debate, esses policiais filmaram o rosto de todos os oradores a menos de três metros de distância da mesa.

Assim que as primeiras pessoas começaram a discursar, as prisões começaram a ocorrer. O advogado Daniel Biral, que já havia sido ameaçado pelo coronel, foi preso após protestar contra a falta de identificação dos policiais. Aliás, ele não foi apenas preso, mas agredido com tal brutalidade, que ficou desacordado na viatura. Com ele, foi também presa a advogada Silvia Daskal.

Os organizadores conseguiram acalmar a indignação dos presentes e retomar os discursos. Menos de dez minutos depois, policiais revistaram de maneira completamente desnecessária e gratuita um rapaz negro que apenas andava pela rua, bem ao lado do debate, claramente para provocar. A imprensa foi toda para lá, o público pediu pela soltura do rapaz e a PM jogou bombas, atirou balas de borracha e gás lacrimogêneo e prendeu outras duas pessoas.

Os organizadores conseguiram acalmar os ânimos e retomar o debate. A Tropa de Choque fechou todos os acessos da praça e ficou por mais de uma hora em formação, pronta para atacar. A presença policial muito numerosa e ostensiva era apenas para intimidar e tentar uma provocação para um ataque que seria um verdadeiro massacre.

Ao final do debate, grupos de pessoas saíam da praça para o metrô andando em grupo, com medo de serem revistadas, de serem presas e terem objetos plantados na mochila como parece ter acontecido com Fabio Hideki (que completou uma semana na penitenciária de Tremembé). A Tropa de Choque acompanhou de maneira ostensiva esse deslocamento e outro contingente da Tropa as esperava dentro do metrô.

Amigos e amigas que ainda não tinham participado das manifestações dos últimos dias estavam chocados. Todos só falavam da sensação de volta da ditadura.

Pablo Ortellado é professor da Escola de Artes, Ciências e Humanidades da USP.

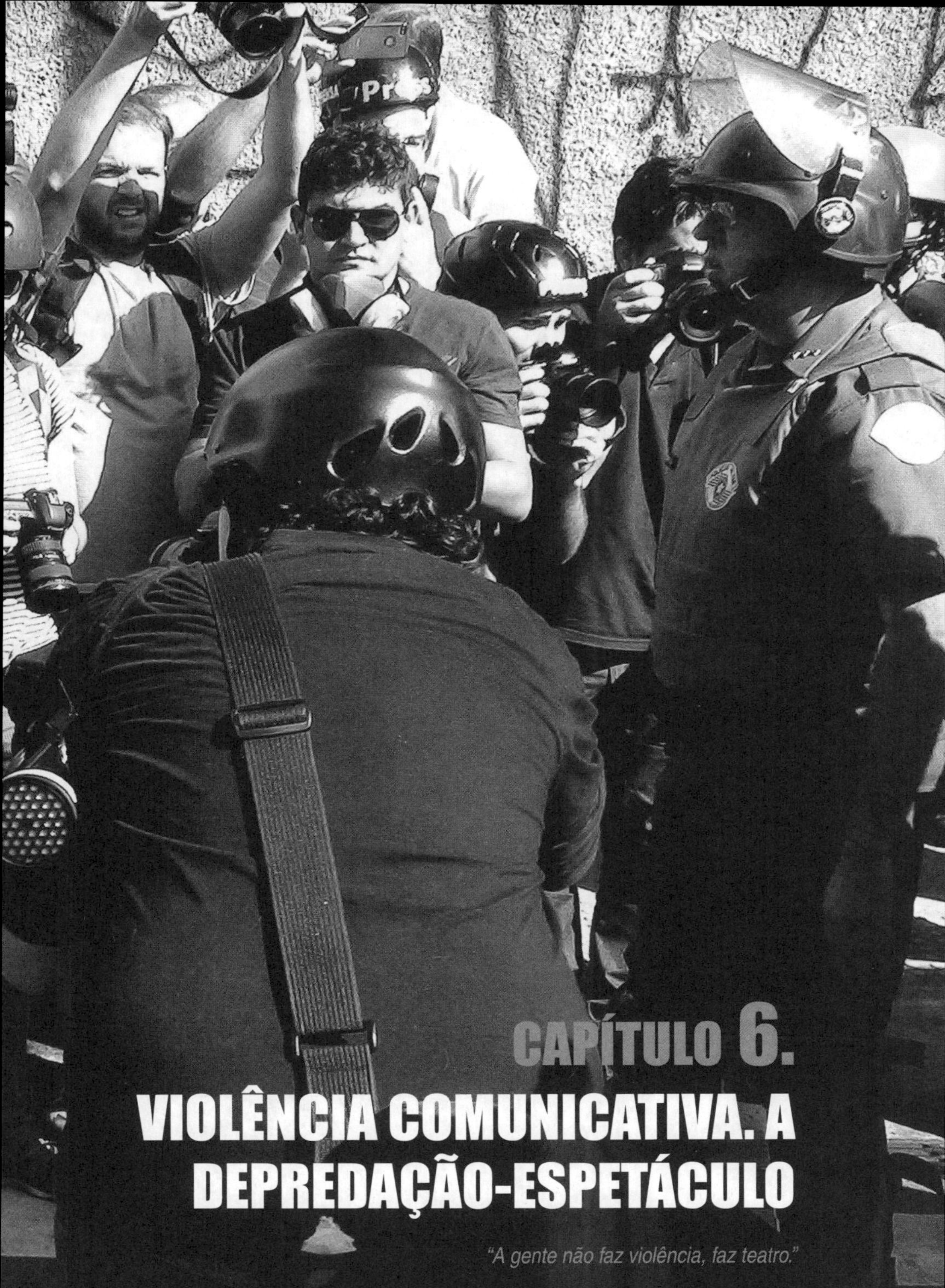

CAPÍTULO 6.

VIOLÊNCIA COMUNICATIVA. A DEPREDAÇÃO-ESPETÁCULO

"A gente não faz violência, faz teatro."

— **Mas vocês dizem que só fazem** violência simbólica e depois, já vi, sobretudo no Rio, lixo na rua, pequenos comerciantes assustados, roubo de carros. Ônibus incendiados aqui em São Paulo, no Terminal Dom Pedro, pessoas ficando com medo de vocês... Isso não tem nada de simbólico. Agredir policiais, tampouco tem nada de simbólico, não?

— Sobre os policiais, falamos depois com mais calma porque esse assunto é complicado. O outro... Os moleques que fazem isso não têm a mínima noção do que significa Black Bloc. São pseudo-manifestantes, não sabem de nada. Vão pela adrenalina e estragam tudo. Você não verá alguém da tática fazendo isso. Não se confunda. Uma coisa é Black Bloc, outra coisa é alguém que vai de preto com máscara com outra intenção.

Este foi meu diálogo depois da manifestação do dia 25 de outubro de 2013, tentando entender de uma vez por todas que tipo de violência o Black Bloc defendia, muito inconformada com as cenas de depredação e medo desse dia no Terminal Dom Pedro. Ônibus incendiados, catracas destruídas, e uma população com medo. Sempre me perguntei se o medo das pessoas valia a pena para eles.

Já vi rostos apavorados de pessoas que, simplesmente, tiveram a infeliz ideia de passar pela rua no momento em que estourou uma bomba de gás lacrimogêneo, uma pedra foi lançada contra um banco ou no instante da correria e do tumulto. Proprietários de lojas fechando apressados seus estabelecimentos pensando que podiam ser alvo da confusão. Nas manifestações-guerra tudo parece uma batalha entre policiais e Black Bloc, com a bênção da toda-poderosa imprensa. Eis a tríade da história, mas a população é outro ator, às vezes, escondido, tímido, espantado, em outras oportunidades, raivoso e feroz, contaminado pelo mesmo ódio.

Cena 1. O medo

Dia 7 de setembro de 2013, nas proximidades da Câmara Municipal de São Paulo, com as bombas estourando e as pedras voando, num dos maiores episódios de violência generalizada que já vi num protesto.

Uma criança nos braços da mãe não para de chorar desesperadamente com o barulho da batalha. A mãe, igualmente desesperada, não sabe para onde correr porque se encontra numa rua, fechada de um lado por soldados da Polícia Militar e do outro por adeptos da tática. Está no meio da confusão, no momento exato da guerra e aí não existe trégua para ninguém. Depois de minutos de agonia que imagino pareceriam horas extenuantes para ela, um vizinho abre a porta e a arrasta para dentro de casa. Não a vi mais. Lembro perfeitamente do medo nos olhos dela. Já vi esse mesmo medo muitas outras vezes.

Cena 2. O ódio

Dia 12 de junho de 2014, nas proximidades do metrô Carrão, durante a manifestação coincidente com a abertura da Copa do Mundo.

Vários vizinhos vestidos de verde-amarelo, mostrando orgulhosamente a camisa da seleção, atrás das grades de seus condomínios assistindo ao espetáculo de bombas e pedras, as mesmas cenas descritas anteriormente. Num determinado momento, a Tropa de Choque passa pela frente deles, batendo com os cassetetes nos escudos. Os vizinhos, ao uníssono, aplaudem e gritam: "Acaba com eles!!! Acaba com eles!!!"

Essas foram as reações durante esse ano de manifestações com a presença Black Bloc. A violência performática que eu queria entender provocava medo ou ódio.

> "Sei que as pessoas ficam com medo. Mas ficam sobretudo com medo da PM!!! É que não entendem que o que nós queremos é melhorar o sistema para que elas não tenham mais medo... Mas não tem outro jeito, para melhorar se precisa de violência e aí, claro, você tem medo, não tem outro jeito. Tem que entender que nossas ações não são contra eles, são contra o sistema." (07-09-2013)

> "Viu os bosta (sic) dos coxinhas aplaudindo o Choque? Burguês de merda! É isso aí, professora, o pessoal do Datena, da Sherezade, dos linchamentos, o pessoal do 'bandido bom é bandido morto', tudo a mesma merda. Se a polícia mata tanto é por causa deles." (12-06-2014)

Várias vezes fiz a mesma pergunta sobre o suposto simbolismo da ação direta que causava medo ou ódio nas pessoas e as respostas sempre foram unânimes. A depredação é performática. Tudo o que seja diferente disso não é Black Bloc. Pode levar máscara, ir de preto, mas não é Black Bloc. Pode se dizer Black Bloc. Não é. Se depredar pequeno comércio, se queimar um carro popular, ou tacar pedra numa pessoa qualquer caminhando pela rua, roubar, assaltar, não é Black Bloc. Essas eram as respostas. Salvo para o caso dos policiais, onde o simbolismo confunde-se com a realidade... mas aí voltamos mais tarde porque esse assunto precisa de detalhe.

Então, o que é o Black Bloc? Um grupo, uma tática, um movimento? Qual é sua ideologia? A autodefinição é simples: uma forma de protesto, uma estratégia, fundada na violência-espetáculo, na violência comunicativa.

> "Fazemos um teatro, sim, para chamar a atenção."

> "Nossa violência é como se fosse um teatro para chamar ao debate sobre o que está errado no sistema."

Dois estudantes de preto, de rosto coberto, falavam comigo sobre esse "teatro" durante a primeira manifestação de 2014, no dia 25 de janeiro. Era o primeiro ato do ano contra a Copa. Viriam muitos mais, se repetindo até o último, em 13 de julho, dia da final, no Rio de Janeiro, com o ambiente crescendo exponencialmente em tensão.

Nesse dia tinha muita gente na rua. Partidos, sindicatos, movimentos sociais e estudantis e, claro, Black Blocs. Eu, como muitas outras pessoas, pensava então que durante a Copa do Mundo, a situação poderia chegar a um extremo dramático. Muitos protestos estavam marcados para as principais cidades-sede e, pelas conversas que estavam ocorrendo, a polícia e o governo federal me pareciam preocupados e muito tensos.

Não aconteceu o drama que esperávamos. As operações policiais foram enormes durante o período dos jogos. A maioria dos atos nem conseguiu sair do local para onde estavam convocados, porque os manifestantes eram cercados por grande quantidade de policiais militares, antes de qualquer movimentação. Em 25 de janeiro, os adeptos pensavam que fariam grandes protestos durante a Copa. Contavam-me que queriam parar os jogos, provocar transtornos importantes, quem sabe até atacar com algum coquetel molotov em lugares estratégicos, causar tumulto perto dos estádios: "não vai ter Copa, mesmo, não vai".

Claro que teve Copa. E também tantos policiais, que as conversas desse dia não se materializaram no nível esperado. Mesmo com o campeonato acontecendo, houve muitas situações em que os enfrentamentos entre policiais e manifestantes, mesmo cercados num lugar fixo e sem conseguir avançar, foram acirrados e violentos. Mais uma vez, o Poder sumiu, ninguém conseguiu dialogar e tudo foi "resolvido".

Não houve tragédias nem perdas humanas, a grande festa da bola foi um "sucesso" não boicotado pelas manifestações, mas foi necessário colocar um grande efetivo policial nas ruas para ganhar a tão desejada paz. Ganhou-se uma taça dentro do gramado. Perdeu-se mais uma possibilidade de dialogar, de aproximar posturas, de construir democracia e de não ter, de novo, dois bandos se enfrentando nas ruas.

Violência simbólica

As categorias "teatro", "chamar a atenção", se repetiriam em outras conversas, além desse dia 25 de janeiro, deixando claro que o Black Bloc se apropria da ação direta daquela "violência simbólica" como se esta fosse uma linguagem específica. Durante o depoimento dos dois, eu ia refletindo sobre o ritual das manifestações.

Um bloco preto, uniforme, ocupando a rua tem um poder estético inegável. Um molotov jogado numa agência bancária do centro da cidade por um garoto com uma bandeira preta na mão. Um carro de polícia virado, uma pichação no muro da Prefeitura, o vidro de outra agência estilhaçado... Definitivamente uma cenografia bem articulada.

Muitos dos protestos Black Bloc parecem cerimônias, seguindo suas formalidades, seus protocolos, suas violências em lugares e momentos determinados, cada um cumprindo seu papel. O policial em seu personagem. O manifestante no seu. O fotógrafo onipresente, como insaciável, captando o momento da pedrada ou da bomba de efeito moral. Toda uma *mise-en-scène* que atrai *flashes*, capas, manchetes... Podia ser de outra forma numa sociedade que deglute os acontecimentos como se fossem meros espetáculos?

A interpretação é simples. Os jovens defendem a tática Black Bloc como uma forma de manifestação que utiliza a ação direta, isto é, uma violência performática com a intenção de provocar uma reação social e institucional. A violência é considerada por eles uma forma de expressão, de diálogo, com um poder silencioso e alheio, que não atende as reivindicações feitas de forma pacífica.

Segundo esta lógica, a única forma de provocar uma mudança, de desafiar o governo, é mediante a utilização de violência que chame a atenção. Os protestos, que tantas vezes os adeptos do Black Bloc intitulam de "coxinhas", ou seja, de caráter pacífico, não trazem nenhum resultado positivo para a população. O radicalismo, segundo as narrativas, faz-se, então, necessário.

Alega-se sempre que a violência realizada é de tipo simbólico, que persegue suscitar uma atitude. É, portanto, uma violência comunicativa, que exterioriza a crença de que os canais de diálogo convencionais são inúteis, nulos, fracassaram porque o poder não está disposto a escutar.

> "Se não se faz violência, não se chama a atenção... Eles não enxergam nossa revolta. É só com violência que o governo escuta. Não sei, é como se fosse um espetáculo. Se a gente quer ser ouvido, vai ter que jogar para o espetáculo. É a única forma de provocar uma reação. Por isso fazemos a ação direta no centro da cidade, na avenida Paulista. Se fôssemos para a periferia ninguém escutaria, nenhum jornal ia junto. Aqui, sim, a gente chama a atenção."

Uma garota de uns vinte e dois anos me dizia isso numa ocupação na frente da Assembleia Legislativa de São Paulo, na noite de 15 de setembro de 2013. Passei um bom tempo pensando nas palavras dela, refletindo que seu argumento não deixava de ter uma lógica maciça. Eu mesma sei do poder da hiperespetacularização. Em cada manifestação via dezenas de jornalistas, às vezes mais do que manifestantes de preto. Durante as semanas mais violentas, recebia initerruptamente ligações de veículos de comunicação nacionais, e inclusive internacionais, com a mesma pauta; os Black Bloc na Copa do Mundo.

Na manifestação da abertura da Copa, dia 12 de junho, tinha imprensa de vários países. Literalmente os olhos do mundo estavam lá, atentos. Lembro-me de um jornalista japonês, arrumado e sério, que, por seu rosto de espanto e surpresa, talvez pensava que ia cobrir um protesto lúdico e sossegado. Uma fotógrafa americana, que parecia entender pouco do que estava acontecendo, perguntava a um adepto se no Brasil as manifestações eram sempre violentas. Eu ia junto com um jornalista polonês, que tinha me entrevistado no dia anterior, e gritava para o seu colega que fotografasse os garotos mascarados e a Tropa de Choque, e me dizia "*seems like a war*" (parece uma guerra). Todos eles estavam lá, observando para o mundo em plena zona Leste da capital.

Depois de terminar a manifestação, um adepto da tática me resumiu rapidamente seu sentimento de satisfação desse dia.

> "O dia de hoje foi uma vitória. Toda a imprensa internacional viu a truculência policial. Saiu nos principais jornais do mundo. Conseguimos que o mundo todo visse como atua a polícia no Brasil, como o estado utiliza a violência, inclusive na frente das câmeras. Os gringos pensavam que o Brasil era um país alegre, tranquilo, de samba, de carnaval, de futebol. Não é não. Aí está. Para vocês verem como aqui temos um estado violento e repressivo. Aposto que eles nunca viram uma manifestação assim. Viu os jornalistas? Muitos deles estavam com medo da polícia. Até a garota da CNN foi ferida por eles!"

O Black Bloc utilizando a imprensa para "expor" a polícia na frente das câmeras. A imprensa utilizando o Black Bloc, muitas vezes, política e comercialmente. Afinal, o *show* violento também aumenta a audiência. Um jogo perigoso em que se utiliza a violência como moeda de troca continua.

ESCLARECIMENTO DA POLÍCIA MILITAR

"Sobre os dois protestos ocorridos nesta manhã, a Polícia Militar informa que agiu para impedir que baderneiros fechassem a Radial Leste, o que afetaria o direito de ir e vir de milhares de pessoas, inclusive aquelas que vão assistir à abertura da Copa do Mundo." (Nota no Facebook da Polícia Militar, PMESP, 12-06-2014)

A VIOLÊNCIA DOS BLACK BLOC É ESPETÁCULO, DÁ CAPA

Uma manhã de abril de 2014, depois de responder por *e-mail* a mais de vinte perguntas sobre o Black Bloc para um dos veículos de comunicação mais importantes do mundo, comentei com o jornalista: "Mas você sabe que eles não são tantos assim... Realmente quer escrever algo tão extenso sobre eles? Têm protestos com setenta, oitenta, às vezes, nos maiores, quem sabe se chega a 200 mascarados... mais no dia 7 de setembro, mas isso foi muito pontual... não é nada para uma cidade como São Paulo, uma das maiores concentrações urbanas do mundo..." A resposta dele foi bem espontânea: "*Professora, a senhora sabe que a violência deles vende. É simples assim. Não esqueça que os jornais são empresas. Buscam o lucro. Se para isso temos que*

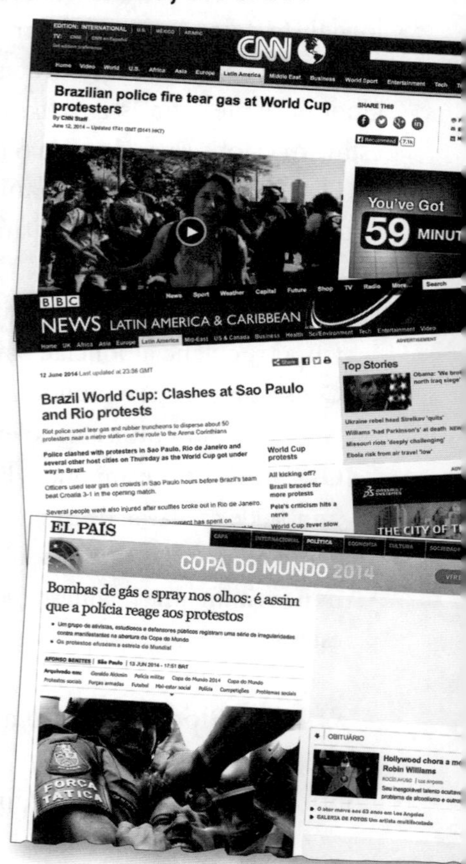
CNN

Home Video World U.S. Africa Asia Europe Latin America Middle East Business World Sport Entertainment Tech

Brazilian police fire tear gas at World Cup protesters

By CNN Staff

June 12, 2014 – Updated 1741 GMT (0141 HKT)

SHARE THIS

You've Got 59 MINUT

BBC NEWS LATIN AMERICA & CARIBBEAN

Home UK Africa Asia Europe Latin America Mid-East US & Canada Business Health Sci/Environment Tech Entertainment Video

12 June 2014 Last updated at 23:36 GMT

Brazil World Cup: Clashes at Sao Paulo and Rio protests

Riot police used tear gas and rubber truncheons to disperse about 50 protesters near a metro station on the route to the Arena Corinthians

Police clashed with protesters in Sao Paulo, Rio de Janeiro and several other host cities on Thursday as the World Cup got under way in Brazil.

Officers used tear gas on crowds in Sao Paulo hours before Brazil's team beat Croatia 3-1 in the opening match.

Several people were also injured after scuffles broke out in Rio de Janeiro.

World Cup protests

All kicking off?

Brazil braced for more protests

Pele's criticism hits a nerve

World Cup fever slow

Top Stories

Ukraine rebel head Strelkov 'quits'

Williams 'had Parkinson's' at death

Missouri riots 'deeply challenging'

Ebola risk from air travel 'low'

EL PAÍS

COPA DO MUNDO 2014

Bombas de gás e spray nos olhos: é assim que a polícia reage aos protestos

- Um grupo de ativistas, estudiosos e defensores públicos registram uma série de irregularidades contra manifestantes na abertura da Copa do Mundo
- Os protestos ofuscam a estrela do Mundial

AFONSO BENITES | São Paulo | 13 JUN 2014 - 17:51 BRT

OBITUÁRIO

Robin Williams

colocar o foco sobre a violência e aumentar sua importância, a aumentamos".

Eu, encantada com o arrebato de franqueza, puxei mais um pouco para frente, fazendo uma pergunta da qual já sabia perfeitamente a resposta: "Mas se a violência vende, por que não falar dos 50 mil mortos por ano que temos aqui no país? Eles não vendem?" E, de novo, aquela sinceridade sufocante que exibe verdades sinistras: "Não, não vendem. Essas são mortes invisíveis. Infelizmente ninguém se importa com isso. Não vende jornal. A violência dos Black Bloc é espetáculo, dá capa". A jovem da ocupação da Assembleia Legislativa de São Paulo e o jornalista estavam em completa sintonia.

INTERNATIONAL POLITIQUE SOCIÉTÉ ÉCO CULTURE IDÉES PLANÈTE SPORT SCIENCES TECHNO STYLE VOUS CAMPUS ÉDITION ABONNÉS

BRÉSIL 2014

Foot, rugby, tennis, F1..
Tout le sport en direct

SPORT FOOTBALL BRÉSIL 2014 En direct Calendrier & résultats Equipe de France Les Experts

A quelques heures du Mondial au Brésil, la police de Sao Paulo disperse des manifestants

Le Monde.fr avec AFP | 12.06.2014 à 18h00 • Mis à jour le 12.06.2014 à 19h06

Réagir Classer Partager

Recommander Partager 1 781 personnes recommandent ça. Soyez le premier parmi vos amis.

La police tire des gaz lacrymogènes contre des...

Portfolio

Le onze des révélations du Mondial

"MERCADORIA EM ALTA"

Ao longo desses meses não deixo de pensar em todos nós como produtores-consumidores de um espetáculo bastante perverso. De fato, a violência é uma aposta de sucesso. A imprensa, ávida, jogou o jogo. Num país onde a taxa de 50 mil homicídios por ano é algo natural e não provoca sobressalto ou arrebato, todo mundo parou para observar, boquiaberto, a violência Black Bloc, como numa histeria coletiva. Por quê?

Será porque uma violência é invisível, silenciosa, afastada e a outra é ostensiva, exposta, teatral? O paradoxo é evidente. Duas lógicas de pensar a violência, uma que acontece no centro, outra que acontece nas sombras da cidade?

Essa, para mim, é uma das maiores provocações do Black Bloc que poucos parecem querer escutar. Por que nos espantamos com uma violência e achamos normal a outra? Por que não vemos uma e hiperdimensionamos a outra?

© Mídia NINJA

CAPÍTULO 7.
MÁSCARA E PRETO. METAMORFOSE

"Coloco a máscara porque o importante não sou eu, é minha luta, a luta de todos nós."

Em todo o tumulto coletivo que o Black Bloc provoca, a máscara é o objeto de fetiche por excelência. Curioso como temos tanta ansiedade de diminuir as complexidades sociais, codificando, como se o Black Bloc pudesse se resumir ao uso de uma máscara.

O que interessa não é falar da máscara-objeto ou do fato jurídico do anonimato que tantos projetos de lei tem inspirado. Quero contar o que aprendi sobre a metamorfose, sobre como o preto e o rosto coberto formam parte da construção de uma identidade. Algo muito sutil, que não pode ser legislado.

Concentração na praça General Gentil Falcão, 30 de agosto de 2013. Manifestação contra a Rede Globo. Todos os jovens adeptos da tática vão chegando, vestidos como qualquer jovem de uma grande cidade. Nenhum observador os identificaria. Parece um grupo de garotos perfeitamente incluídos no cotidiano, como os que se reúnem qualquer sábado nos inúmeros cantos da cidade. Com algumas garrafas de bebidas alcoólicas prontas para o uso, rindo, contando as histórias da semana, fazendo piada, se enturmando, se abraçando, paquerando... Muito longe da imagem do perigo terrorista ou do criminoso em busca e captura que tantas vezes as capas dos jornais passaram.

Interrompendo nossas conversas, num determinado momento, as camisetas pretas são colocadas nos rostos, a transformação é feita. "Morfar", essa é a palavra utilizada. A primeira vez que escutei o termo achei que tudo estava contido lá. *Morfar* (*morph*), o verbo dos Power Rangers, o momento de virar super-herói, como no desenho animado. No fundo são garotos, jovens, com certas atitudes próprias da sua idade, mas com discursos de raiva que talvez não deveriam ter, ou justamente com uma raiva muito típica da sua faixa etária.

"**Vão, Vão Power Rangers**
Eles têm um poder e uma força que você nunca viu antes
Eles têm a habilidade pra *morfar* e para ir além do recorde
Ninguém nunca os derrotará
O poder mora do lado deles

Vão, vão Power Rangers
Vão, vão Power Rangers
Vão, vão Power Rangers
Hora de *Morfar,* Power Rangers

Eles sabem o fato de que o mundo está vivendo sob as mãos deles
Eles sabem que só vão usar suas armas para defender
Ninguém nunca os derrotará
O poder mora do lado deles

Vão, vão Power Rangers
Vão, vão Power Rangers
Vão, vão Power Rangers
Hora de *Morfar,* Power Rangers

Ninguém nunca os derrotará
O poder mora do lado deles

Vão, vão Power Rangers
Vão, vão Power Rangers
Vão, vão Power Rangers
Hora de *Morfar*, Power Rangers"

Hora de *morfar*, então. Fico na frente deles, observando de muito perto. Deixam as garrafas de lado. Param a conversa leve. Deixam de lado as piadas e começam a conversa séria sobre como será a ação durante a manifestação. Baixam a voz, cochicham sobre a estratégia que será utilizada nesse dia, sobre as possíveis ações diretas. Eu me afasto. Deixam de ser meninos cotidianos num canto qualquer da cidade. As camisetas pretas cobrem os rostos. Eles continuam se identificando, mas não mais como uma turma de colegas para dividir abraços e sorrisos. Agora dividem a raiva. Um deles me resume perfeitamente a transformação que estava observando:

— Esther, depois falamos, agora somos bloco.

— Mas o que significa "agora somos bloco"?

— Sim, que agora deixo de ser eu e me junto a eles. O que importa não sou eu, com nome e sobrenome. O que importa é minha causa, aliás, nossa causa. Aqui estamos todos juntos, sem diferenças, todos de preto.

— Então o preto é como uma identidade coletiva, como se não importassem as diferenças?

— Sim, isso. Cobrimos o rosto, além de nos esconder da polícia, para deixar claro que o importante são as nossas ideias, que formamos parte de algo maior, de uma revolta maior.

Descrever aqui o ritual me faz pensar em tantas vezes que já encontrei vários deles para entrevistá-los, para escutar e anotar suas falas. Chegavam na hora marcada, no lugar combinado, numa cafeteria, num centro cultural, às 18 horas, às 19 horas, depois do trabalho, ou depois da escola, com a mochila no ombro. Sem o preto, sem a máscara. Mais um estudante, mais um trabalhador, às vezes mais um menino, com a rotina idêntica a todos.

Acordar cedo, trabalhar, ir à noite para a faculdade e esperar a repetição do dia seguinte. Vidas sem nome na cidade grande, indistinguíveis de milhares de outras. Poucos imaginariam que por baixo da foto de jornal, em alta definição, haveria alguém quebrando uma vidraça, botando fogo numa barricada de lixo no centro da cidade com "sangue nos olhos" ou jogando uma pedra num policial. Eles estão chegando do trabalho, indo à universidade, com sua mochila no ombro.

Aqueles que parecem gigantes ameaçadores, que assustam, no meio de uma multidão de preto, ou nas imagens do *Jornal Nacional* ou do Globocóptero e nos deixaram tão confusos durante um ano, são também eles, jovens como outros quaisquer, pegando o metrô, voltando para casa, com a inseparável mochila no ombro.

Antes da máscara, o jovem, o sujeito. Depois dela, o Black Bloc, a ideia, o conceito. O ódio.

A estética caracteriza o conjunto, o diferencia para os observadores alheios e cria um padrão, uma homogeneidade. O momento de colocar o lenço ou a camiseta escura ao redor do rosto é extremamente simbólico. Uma metamorfose da qual todos participam e que distingue dois momentos: aquele em que o jovem é indistinto dos outros da cidade, e aquele em que pertence a um coletivo, visibilizando sua opção ideológica. Toda uma identidade se elabora em torno dessa estética.

É comum, nos momentos prévios a uma manifestação, não saber quantos serão os adeptos até que o ritual de cobrir o rosto aconteça. Esse é o momento da identificação conjunta. O preto é cor coletiva, a cor do anonimato, é a cor da identidade. Além do objetivo óbvio de dificultar a identificação policial, cobrir a fisionomia tem a finalidade mais complexa de se reconhecer como coletivo, como conjunto sem rosto que compartilha uma mesma forma de entender a presença nas ruas. O preto dilui, as individualidades desaparecem.

"Sim, o Black Bloc defende a ação direta como forma de protesto, usando o preto pra dar a ideia de força única e também manter o anonimato." (*Inbox* recedido pelo Facebook, 05-08-2013)

Insiste-se sempre nas conversas que o Black Bloc não é um grupo, é uma tática. Qualquer um pode compartilhar de suas ideias. Bem, efetivamente, depois de tantas manifestações é óbvio que não é um grupo fechado, rígido, inflexível, mas o certo é que uma identidade coletiva está presente. Uma identidade forjada na ideia da legitimação da violência como forma de protesto, no reconhecimento mútuo entre aqueles que se encontram nas ruas. Uma identidade que se expressa no anonimato e no preto.

> "Aqui encontrei meu lugar, com eles. Pessoas que não conhecia e que pensam como eu penso, que lutam pelo mesmo. Fiz muitas amizades que vão ficar para sempre. No fundo é como uma família." (08-09-2013)

> "Continuo falando com os amigos de sempre, mas nas manifestações fiz amigos de verdade. Troco ideias com eles, falo de coisas que são importantes para mim. A gente se encontra, saímos às vezes para a balada. Eu me sinto bem com eles." (28-07-2014)

Às vezes as explicações são tão simples e estão tão na nossa frente, como esta: "Encontrei meu lugar". O sentimento de pertencer. A aceitação. Aqueles que são constantes nas manifestações sempre convergem no mesmo sentimento: "Com os amigos anteriores não podia conversar de política, falar de minhas ideias. Com a turma da manifestação, sim". Amizade. Um conceito, que, de novo, não atravessa as cenas das manifestações-guerra, mas que está no íntimo de todas elas. Paixão, amor, inclusive. Vários deles encontraram "ficantes" nas manifestações, namorados e até noivos. Os mascarados de preto que depredam uma agência bancária, que sentem ira suficiente para ferir um policial e não sentir remorso, que podem falar durante horas de sua raiva, da PM, de seu desprezo pela política, são, antes e depois disso, jovens.

© Mídia NINJA

CAPÍTULO 8.
CRÍTICAS INTERNAS. DIVERGÊNCIAS E HETEROGENEIDADE

"Tem muito moleque que não sabe de nada."

O anonimato, a máscara, o preto. A estética da tática parece apregoar a ideia de que é uma massa homogênea, sem divergências, sem cismas ou fraturas. A violência uniformizada aos olhos do observador. Nada mais longe da realidade, aliás, nada mais longe da realidade de qualquer fenômeno social. A diferença sempre está nas entranhas dos coletivos por mais que, para os olhos alheios, pareçam conjuntos sólidos ou harmoniosos. Uma das coisas mais apaixonantes em qualquer pesquisa social é sempre descobrir as complexidades. O que parece um conglomerado inquebrantável de pessoas ou ideias, por fora costuma ser poroso e fragmentado com uma perspectiva mais aguda:

> "Claro, aqui cada um tem ideias diferentes; às vezes dá briga, às vezes a gente consegue segurar... A gente se veste igual, mas nem todo o mundo pensa igual." (21-10-2103)

Em muitas ocasiões tenho testemunhado divergências de entendimento sobre a tática Black Bloc, divergências que não transparecem para fora, mas que existem de forma evidente. A maior parte dos desentendimentos aparece no uso da ação direta e no papel da violência nos protestos. Para alguns, Black Bloc só deve "proteger os manifestantes dos abusos policiais e não fazer nenhum tipo de violência", e, já para outros prevalece uma lógica de ação não meramente "defensiva", mas agressiva.

Trago aqui as palavras cruzadas numa pequena discussão bem significativa a esse respeito, durante o protesto de 30 de agosto de 2013. Depois da manifestação, que teve cenas de violência contra alguns bancos e esterco jogado na portaria do prédio da Rede Globo, dois manifestantes mascarados começaram a argumentar que o Black Bloc não deveria partir para a ação direta e sim simplesmente acompanhar os coletivos, porque, de outra forma, o radicalismo acabaria por esvaziar a presença deles. Outros três, a favor de uma ação mais agressiva, acusaram os primeiros de tentar impor uma ideia e não deixá-los exercer livremente seu entendimento de tática. A discussão acabou sem consenso. Eu, mais uma vez espectadora. Foi a primeira vez que percebi nitidamente os desacordos que depois comprovaria de forma contínua.

— Cara, a violência por si só não resolve nada. Vamos deixar de fazer isso, não faz sentido. Vamos ficar só protegendo a manifestação, na defesa e pronto. Temos que mudar para uma tática defensiva, só.

— Isso é o que você fala. É uma violência simbólica... tem que deixar o povo fazer. Contra banco eu sou violento, sim. Para mim, estar na linha de frente da manifestação protegendo e quebrar é a mesma coisa... tudo, para mim, é defender, porque a violência vem deles (dos bancos).

— Mas não está vendo que é pior? Os protestos estão vazios. Estamos perdendo força, daqui a pouco não vai ter ninguém!

— Ah, cara, quem é você para falar isso? Você é mais do que os outros? Deixa o pessoal fazer o que quiser. Cada um é livre e entende a tática diferente. Você vai impor o quê?

As rachaduras também aparecem quando o assunto é a violência contra os policiais. Já conversei muito sobre esta questão, sobre a percepção do papel e a identidade do policial e a suposta incoerência que parece ser denunciar veementemente os abusos da polícia, mas depois exercer uma violência física direita contra eles. Encontrei dissensos entre os que defendem que é lícito o confronto hostil com a polícia e os que argumentam que a polícia é um órgão comandado pelo poder político e, portanto, não pode ser a única responsabilizada.

Segundo esses últimos, a rebeldia é contra a estrutura política e não contra a corporação policial que seria instrumentalizada por um poder muito mais abstrato, cuja farda a faz mais visível. A polícia não seria o inimigo e sim mais uma vítima de um sistema corrupto e manipulador.

> "A gente tem que parar de ir para a rua dessa forma, contra a polícia, porque vai dar merda, os caras (PM) têm arma... tem que mudar a estratégia. A luta não é contra eles... Se é para ação direta, explode o Banco Central, a Casa da Moeda, saindo assim não dá nada. Temos que agir com inteligência, não com músculo, porque eles têm o arsenal... A cidade vai virar zona de guerra e aí o ciclo não vai ter fim e muita gente vai morrer... só no olho por olho? Eu tento falar, mas os moleques agem pela emoção. A gente não pode ficar incentivando isso. A polícia não é mais nosso alvo, nosso alvo é o governo, temos que investir, mas na questão política." (08-09-2013)

> "Que esse ato (22-02-2014) seja maior. Mas vê se dessa vez ninguém entra em confronto com a PM sem necessidade. Uma coisa é se valer do direito à legítima defesa, garantido pela Constituição, quando a PM comete seus costumeiros crimes contra nós. Outra coisa é meia dúzia de moleques começar a jogar pedra em PM que

> não tá nem revidando (como foi dessa vez), e pessoas tentando em vão pedir pra parar com aquela palhaçada (Eu). Um pouco de consciência não faz mal a ninguém." (Facebook manifestante 31-01-2014)

É recursivo escutar críticas aos grupos de adolescentes considerados inexperientes, pouco articulados, que recorrem à ação direta com excessiva facilidade, desconhecem o que significa a filosofia Black Bloc e fazem uma violência sem significado, motivados pelo modismo.

O que está em jogo, dentro da lógica dos adeptos da tática, é o sentido da violência. Os debates, então, poderiam se resumir no fato de que para alguns deles existe uma depredação com sentido, com argumentação, e existe outra desfocada, sem um conceito político por trás e que, portanto, deve ser repudiada. Seguindo esse raciocínio, teríamos, então, duas categorias de violência: aquela exercida fora da filosofia da tática, que não conduz a uma reflexão, impulsiva, repelida pelos mais politizados; e aquela, simbólica, que segue os dogmas teóricos da prática Black Bloc.

> "O principal problema é que tem um pessoal muito novo, que quer partir para a ação sem ter estratégia, sem pensar. Existem rixas por isso, porque não podemos deixar que isso prejudique o movimento... Têm alguns que só querem ação, adrenalina, são muito meninos, não sabem de nada. Pegam um molotov e saem do controle, não aceitam críticas. Não dá para falar com alguns deles. Não entendem. Tem muita gente nova, muito moleque que tem que aprender ainda o que significa Black Bloc." (25-01-2014)

> "O pessoal não tem noção das consequências. Eles não são conscientes de que podem foder a vida. Aí vivem tacando pedra contra policial, xingando, fazendo besteira. Absurdo. Temos que nos

organizar, é momento de refletir, parar para pensar... puxa, tem muito moleque... Só pode dar merda." (08-09-2013)

Várias vezes ouvi esse discurso. A importância de uma reflexão maior, de uma estratégia pensada como repúdio a um confronto carente de sentido que só leva ao acirramento da agressividade.

"A ação chama a atenção a um debate necessário, mas debate precisa de atores, organizações, posturas, propostas... O que vem depois é tanto o mais importante do que o agora... Uma tática não pode reemplazar (sic) *ad aeternum* uma estratégia... A ação é boa contanto que esteja enquadrada num marco maior..." (10- 09-2013)

"Vivo falando isso. Vamos parar para pensar. É momento de refletir. A violência sem sentido não dá, gente." (15-05-2014)

Mas também escutei as outras. As falas com um alto conteúdo agressivo e que reivindicam o uso de uma ação direta muito mais dura:

"Eu quebro e jogo molotov. Faço, sim, claro que faço. É uma guerra, pô. A gente não pode estar como criancinhas na rua. Tem muito por aí que diz que é Black Bloc, mas é um coxinha de merda que sai correndo com a primeira bala de borracha e, depois, não tem coragem nem para levar um molotov." (07-09-2013)

"O pessoal vive postando no Facebook. Filhinhos de papai, tudo. Vamos ver quem tem a coragem de pegar um policial na rua. Quero ver quem vai para a luta." (08-09-2013)

Durante as manifestações são evidentes essas dissidências internas. Em vários momentos do percurso ouvem-se gritos de "calma", "não", "vamos, vamos" (tentando evitar que manifestantes cometam alguma ação direta apressada). As tensões entre as diversas formas de entender a violência parecem sempre presentes.

> "Por exemplo, num momento alguém começou a jogar pedra num banco na Paulista. Não era para fazer isso, porque esse momento era para ser pacífico, o povo começou a falar, 'para, agora não, calma'." (08-09-2013)

Para o observador descuidado, toda manifestação é parecida, como ajustável a determinismos matemáticos. Todo policial é parecido. Todo mascarado é parecido. São todos figuras sem identidade, sem nome, que podemos classificar e julgar sem conhecimento prévio. Simplificação errônea e insolente. O mundo do social é uma avalanche de acontecimentos, que mudam continuamente e, em muitas ocasiões, de personagens que pouco têm de evidente.

O *boy* que coloca sua roupa preta e acha que resistência resume-se em... quebrar vidraça e correr...

Jovem fique em casa... você MAIS FODE DO QUE AJUDA!

Não! Não! Isso não é resistência.

Tem muito nego que quer somente pagar de "malvado" vestindo-se de preto, mas não tem consciência alguma no coletivo.

SE É PRA TRETAR, FIQUE E RESISTA!

Faça muito mais que existir, RESISTA!

NA COPA COMO VAI SER...? VAI PROCURAR VIDROS EM PLENA RADIAL?

Então organize sua célula, produza sua logística, crie estratégias baseadas no local do evento.

AVANTE, JUVENTUDE COMBATIVA, para cada verme que brotar na sua frente, 3 molotovs devem ser lançados.

- SEM ARREGO.
- SEM MORALISMO.

(Facebook, Black Bloc SP FaseII, 19-05-2014)

PRESS

CAPÍTULO 9.

IDENTIDADE. POLÍTICA E VANDALISMO

"Somos sujeitos políticos, não vândalos."

Às vezes os enfrentamentos sociais são enfrentamentos semióticos, de categorias e símbolos. Afinal, quem tem o poder de definir é sempre quem impõe sua visão das coisas. A linguagem sempre é uma opção política.

Lembro-me da manifestação de 14 de setembro de 2013. Estávamos passando pela avenida Paulista, quando um dos adeptos do Black Bloc, com tom bastante severo, fez uma interpelação direta a um grupo de pessoas. Elas, sentadas num bar, olhando para rua, distraídas, leves, fotografando o protesto para, com grande probabilidade, colocar as imagens minutos depois na *timeline* do seu Facebook, continuando esse neurótico teatro do cotidiano.

> "Não nos vão acusar de rebeldes sem causa. Temos uma causa... Por que vocês se acomodam? Você, que têm dinheiro, por que ficam aí? Seu silêncio é vandalismo. É que vocês vivem num mundo diferente? Parece que vocês estão vendo uma realidade diferente e não enxergam o que está acontecendo."

Nesse momento pensei que tudo se resumia a um conflito de percepções. Os manifestantes, com a gravidade de quem quer se reconhecer e ser reconhecido como ator político. Os observadores, em outro plano semiótico, como quem assiste, descuidado, a um espetáculo substituível, sem a mínima repercussão, para esquecer ao final do dia.

Um minuto depois, uma jovem que devia ter a mesma idade que o interpelador, aproximou-se de mim, decidida, e com aquele mesmo tom rigoroso, disposta a falar para quem quisesse ouvir:

> "Os caras pensam que estão fazendo a revolução!! Ah, me poupe. Eles são os que vivem num mundo diferente. Ah, cresçam, façam-me o favor".

Nenhum dos dois entendeu ao outro. Cada um pensou que o outro não sabia interpretar a realidade. Para ele, ela era a tal da coxinha. Para ela, ele era o tal do baderneiro. E lá continuaram aqueles dois, cada um no seu universo de sentidos, sem possibilidade de diálogo.

Na realidade do Black Bloc, o jogo das palavras tem sido contínuo e sempre bilateral. Esse se enxergando como sujeito político, a grande maioria da população o definindo como "baderneiro", "criminoso". Percepções irreconciliáveis.

Quem é o vândalo? Conceito fértil este! Um dos mais escutados tanto na imprensa como na população em geral, se referindo ao Black Bloc, jogado de volta num efeito bumerangue. Quem define e convence, ganha.

> "Nós somos vândalos? Vândalos são eles, os que estão na Assembleia Legislativa, os de Brasília, os que a gente vota a cada quatro anos. Esses são os verdadeiros criminosos, que só se enriquecem e não se importam com a população... dão risada da nossa pobreza, de nossa luta. Eu sou vândalo porque quebro a vidraça de

um banco? Ah, vamos... E eles, que acabam com a vida das pessoas? Não são eles os assassinos?" (14-05-2014)

"Eu depredo, sim. Quebro banco e patrimônio público conscientemente. Quero incomodar. *Se ser vândalo é provocar um debate... Então eu sou vândalo, sim, sou baderneiro, sim, porque estou provocando. Olha, as pessoas estão falando sobre política! As pessoas estão acordando, pensando.* Se isso é ser vândalo, eu sou vândalo. Mas vandalismo mesmo é a vida em que eu cresci, vendo meus amigos morrerem, como uma coisa anônima, invisível. Inclusive agora, vendo meus alunos morrerem na periferia. Esse é o verdadeiro crime." (07-09-2013)

A argumentação está clara. Uma violência "minúscula" como revanche a uma violência "maiúscula". Segundo eles, o vandalismo simbólico da tática responde a outro muito maior, o legitimado, o institucional, aquele com o qual somos forçados a conviver. Muitos me disseram que sua ação radical nos protestos buscava chamar ao debate sobre as múltiplas agressões do sistema, as cotidianas, por isso, invisíveis e por isso mais perversas. Deixaram sempre claro esse ponto de sua ideologia. Os crimes do estado, do sistema, representam a violência real. A violência realizada pela tática é uma forma subversiva de chamar a atenção sobre aquela cometida pelo sistema.

A violência do Black Bloc, essa que espantou a sociedade brasileira, é entendida como uma ação política? A resposta à minha pergunta chegou numa conversa com um estudante no final de um dos protestos em março de 2014:

— Você diria que a sua violência é política?

— Claro, a gente faz política, sim, somos agentes políticos. Sem partido, mas políticos.

— Mas você acha legítimo isso, a violência como forma de fazer política?

— Cresci vendo como os políticos utilizam a violência para o que eles querem, como a polícia é utilizada politicamente. Aprendi isso, por que eu não posso fazê-lo? Só o estado tem o monopólio dessa violência política? Não, para mim não, eles não têm esse monopólio. Eu reajo à violência política deles com a minha.

Quanto me provocou essa fala: "Cresci vendo como os políticos utilizam a violência". A violência como instrumento político. A violência como instrumento político legitimado pelo sistema. Difícil contra-argumentar o que ele estava me dizendo. Eu já tinha visto essa violência política. Morei quase dois anos no Mato Grosso do Sul e vi muita violência ligada à causa da terra. Indígena assassinado, mas também fazendeiro assassinado. Um dia, recordo muito bem, um desses fazendeiros disse: "É nossa forma de resolver os problemas, de fazer a política que os políticos não fazem. É a política da bala".

Definitivamente, a violência tem, sim, muito de político.

Só que quando a população vê o vidro quebrado não pensa nas "outras violências do estado que são as que importam...". Está claro que se a ideia era passar essa mensagem, a mensagem não chegou. Por quê? Acusa-se os veículos de comunicação de utilizar uma espiral de definições degradantes e manipular a opinião da sociedade. Impondo o estigma de vândalo ao Black Bloc, estariam impedindo que o discurso sobre a real violência do sistema fosse entendida. Seria, assim, um processo de criminalização, onde os verdadeiros vândalos ficariam na sombra, descarregando seus adjetivos sobre os manifestantes.

> "A *Veja* é uma grande mentira. Só manipulação. Patético, patético mesmo. Não é jornalismo, é merda, mas o pior é que o povo acredita nesses merdas da Globo, da *Veja*...Tá todo mundo alienado com essa bosta de meios de comunicação. Eles têm muito poder, mas a gente vai incomodar." (23-08-2013)

> "Depois de horas acompanhando o protesto, a *Globosta* só mostra o que interessa, como se só tivesse depredação e mais nada. Não dá para acreditar neles. Só vindo para rua você sabe o que realmente acontece. A Globo é alienação e o pior é que o pessoal nem enxerga que está sendo enganado o tempo todo." (23-08-2013)

Mas não são só os jornais que são apontados como culpados. Também, a própria incapacidade de deixar uma mensagem clara à população:

> "Eu sempre digo, sem mensagem a gente não faz nada. Depredar sem que a população entenda o significado não faz sentido. A gente deveria deixar panfletos, não sei. Panfletos colados, por exemplo, no banco que a gente quebra para explicar porque quebramos esse banco". (05-07-2014)

Informação, definições, adjetivos

A guerra midiática durante as manifestações foi incessante. Pouco a falar sobre os grandes veículos de comunicação que não tenha sido dito já até a saciedade, porém, um fenômeno, talvez mais imperceptível, mas muito mais transformador, nunca deixou de chamar minha atenção: em cada um dos protestos, além dos veículos formais, havia cidadãos anônimos com *smartphones*, reproduzindo via *streaming*, filmando, fotografando, opinando...

Curioso como muitas pessoas não querem aceitar mais ser consumidores dóceis de informação. Querem produzir, criar. Claro que isto é algo extraordinário, avançar do cidadão-consumo ao cidadão-informação, mas nada é sempre cor-de-rosa. Nas manifestações, o jogo sempre é complexo e a informação pode muito bem servir de base tanto para o diálogo quanto para a neurose.

FOLHA DE S.PAULO

UM JORNAL A SERVIÇO DO BRASIL

Desde 1921

SÁBADO, 3 DE AGOSTO DE 2013

Vazam... sobre... polític... gover...

EUA lançam alerta global de risco de ataque

BARCELONA 8x0 SANTOS

O ESTADO DE S. PAULO

DOMINGO

DANTE JOGA

'ESTADÃO' AMPLIA CONEXÃO COM AS REDES

Black blocs prometem caos na Copa e contam com PCC

Protagonistas das ações mais violentas durante protestos não foram sequer fichados pela polícia

Acordo blinda fornecedores da Petrobrás na CPI mista

O GLOBO

UM PAÍS QUE SE MEXE

O Brasil nas ruas

Convocados nas redes sociais, protestos mobilizam pelo menos 240 mil pessoas em 11 capitais

Redução do preço das tarifas de ônibus é a mais importante bandeira do movimento, que reúne principalmente jovens e é marcado pela ausência de partidos na organização; atos foram pacíficos na maior parte das cidades; no Rio, terminou com 20 PMs feridos

Frequentemente, depois de cada manifestação, depois do enfrentamento na rua, começava o enfrentamento na rede social e a conclusão do dia era uma histeria midiática aumentando a polarização e o clima de tensão. Cenas de violência de manifestantes e de violência de policiais. Essas cenas resumiam tudo, como se não tivesse existido nada mais durante as horas de cada manifestação. Como se tudo pudesse se vulgarizar, rapidamente, sem tempo para a análise, para a sagacidade, para a diversidade dos fatos. O que é complexo parece cansar na rede.

A internet e especificamente a rede social Facebook exercem um papel fundamental nos protestos. O Facebook não é só a plataforma de convocação, organização e difusão dos eventos, mas atua também como fortalecedora da identidade coletiva Black Bloc. Informações sobre a tática, notícias sobre sua atuação em diversos países, sentimentos, experiências, expectativas pessoais de cada um dos adeptos sobre a situação nas ruas, comentários contra a Polícia Militar... Proximidade, horizontalidade, ampla liberdade de expressão, fatores que disseminam ideias coletivas com rapidez e atuam como estimuladores.

Mas a internet que redemocratiza, onde todos podem ser criadores em vez de meros repetidores, às vezes parece uma selva de sociopatas. Espaço dos lugares-comuns por excelência, onde tudo é trivializado, pouco é debatido. Horas na frente do Facebook e, em vez de questionamentos, só reproduzimos dogmas.

© Mídia NINJA

CAPÍTULO 10.

RAIVA CONTRA A POLÍCIA MILITAR. NÓS CONTRA ELES

"A corporação, essa eu odeio."

Dia 7 de setembro foi a maior manifestação Black Bloc em São Paulo. Pedras voando, gás lacrimogêneo, balas de borracha, feridos, medo, detidos. Uma manifestação extenuante que começou às 14 horas no Masp e acabou por volta das 22 horas, sem contar as horas posteriores intermináveis nas delegacias. Duvido que esqueça facilmente várias das cenas dessa noite. Já conhecia alguns dos jovens, e vê-los lançar pedras contra os policiais, sendo detidos, ferindo e sendo feridos, são cenas que ficam fixadas na retina. Acabei essa noite no 1º DP, na rua da Glória, na Liberdade, acompanhando o trabalho dos Advogados Ativistas e conversando com um dos policiais militares que estavam lá.

"Professora, eu estou fazendo meu trabalho. A senhora, quanto acha que ganho? Moro longe, tenho a minha família para sustentar. Dobro turno. Agora, chego em casa e nem descansarei para ir trabalhar amanhã. Para mim não está fácil. A gente é massa de manobra!! Para minha família também não. Eu também sofro os problemas dos brasileiros, claro! Eu apoio as manifestações para melhorar o país, mas essas... olhe aí, esse aí é um guarda municipal, olhe o ferimento dele. Aí não dá. Ver meus colegas feridos, não. Sinto que os manifestantes se machuquem mas, e quando tacam pedras, nós não nos ferimos? A sociedade não está nem aí conosco. Os políticos não estão nem aí conosco. Não somos pessoas também? Ninguém se importa com isso? Ninguém se preocupa?"

Essa foi a primeira conversa, das muitas que viriam depois, que tive com policiais militares sobre os protestos. Era claro que precisava desabafar com alguém e lá estava eu às 2 horas da manhã, tão cansada quanto ele, ainda sem entender muito do que tinha acontecido, e emocionalmente exausta, tentando escutar não ao policial, mas ao homem, assim como horas antes tinha ouvido não ao Black Bloc, e, sim aos jovens por trás do preto.

Cheguei em casa às 3 horas e não podia parar de pensar nessa lógica de dois bandos se enfrentando. A Polícia Militar era o inimigo? O Black Bloc era o inimigo? Uns contra os outros. De novo a lógica do antagonismo que sempre afasta.

Claro, num sistema político no qual não se acredita, e que incita a violência, a repulsa, e até o desprezo, essa situação é só mais uma angustiante consequência.

Confesso que a questão mais complicada com a qual convivi e hei de conviver durante os protestos é ver alguns desses jovens cujos nomes conheço, com os quais tenho conversado, dos quais acredito ter entendido seus porquês sobre a violência, jogando pedras contra policiais, com intuito expresso de agredir, presenciar sua raiva. Vice-versa, ao vê-los machucados no confronto direto com a Polícia Militar ou detidos, também cria um sentimento de abatimento. É aquela violência mais expressa, a dos corpos enfrentados, aquela que não se pode negar.

Alguns dos soldados têm a mesma idade que os manifestantes que enfrentam. Provavelmente venham de bairros parecidos, com histórias similares. O resumo de tudo, a única síntese, amarga, mas vital, é que são jovens se enfrentando como se fossem opostos, como se estivessem representando lados irreconciliáveis da vida, colocados lá, de máscara ou de farda, sentindo ódio um do outro. Dois jovens se ferindo, e o poder político que um representa e o outro pretende combater observando de longe, com um riso irônico, sentado comodamente, desfrutando de seu monopólio. "Deixe eles se machucando. Enquanto são eles, não é contra mim."

Num primeiro momento não chegava a entender como essa violência teatral do Black Bloc, definida em termos políticos, em termos de espetáculo, de chamar a atenção, podia ter virado uma violência muito mais concreta, palpável, aquela contra a pessoa específica do policial. Tanto tinham argumentado comigo sobre a tática como uma forma de depredação simbólica. A agência bancária incendiada e o policial ferido não pertencem aos mesmos graus na hierarquia das violências. O que motiva um jovem estudante a jogar uma pedra contra um policial? Raiva, desprezo, vingança? Ódio?

Essa escalada de etapas, da violência espetacular ao ataque físico não é trivial e merece especial atenção.

As palavras inflexíveis do Black Bloc com relação aos policiais, e, especialmente, aos policiais militares por serem os mais visíveis no espaço urbano, aqueles presentes invariavelmente em cada manifestação. Os discursos de antagonismo, de guerra. O conceito do inimigo. A dinâmica de desumanização do homem fardado. Não existe o policial individual. Ele é a corporação, e esta produz um sentimento coletivo de repulsa, de aversão indiscutível. Entender isso é essencial para entender o processo de tantos meses de protestos.

Por outro lado, uma dinâmica arriscada vinha acontecendo desde as primeiras manifestações: a ausência calamitosa do poder político, dos agentes governamentais em seus diversos níveis. Aqueles, que, *a priori*, eram os eleitos para responder aos desafios sociais esconderam-se, estrategicamente, atrás da polícia, a única que não podia escapar da rua.

Sempre pensei que nesses primeiros meses de confronto violento nas manifestações, agosto, setembro de 2013, o Poder Público deveria ter se feito presente com contundência. Ignoro as soluções, que provavelmente não poderiam ter sido alcançadas. Tentar mediar, diminuir a tensão, dialogar, se posicionar como ator protagonista, assumindo sua responsabilidade, isso era tão básico que ainda me parece alarmante que não tenha sido feito.

Um comportamento mais digno. Era isso o que eu esperava, aliás, era isso o que a população esperava. Respostas, ou, no mínimo, tentativas sérias. Nesses primeiros dias, não paliativos muito depois.

Dado indispensável. Quando começaram os protestos Black Bloc, os discursos dos adeptos sobre as razões da atuação sempre apontavam para o governo: "*Somos contra o governo*", "a gente quer mudanças no governo", "o governo maltrata o cidadão...". Aos poucos, e paralelamente ao desparecimento dos gestores públicos e ao acirramento das colisões com a polícia, esses mesmos porquês começaram a apontar à Polícia Militar. A polarização foi se tornando evidente, afinal, policiais e Black Blocs eram os únicos forçados a conviver na cidade. O personagem principal saiu da cena. Outro assumiu seu papel, um que não lhe correspondia.

A indignação contra o governo transformou-se em raiva contra a Polícia Militar, que virou catalisador, estímulo.

Durante qualquer protesto, clamores contra a Polícia Militar: "porcos fardados", "PM fascista", "PM assassina", "PM antidemocrática", "desmilitarização", "não acabou, tem que acabar, eu quero o fim da polícia militar...". Toda uma polifonia contra o adversário.

A cada protesto, um ódio maior. Na rua, confronto. Em casa, horas depois, centenas de comentários, fotos, vídeos, compartilhados na rede social com episódios de policiais considerados truculentos. Um sentimento de revolta em aumento contínuo, combustível para mais violência.

> "E depois da repressão deles, só sendo mais violento. Esses porcos fardados podem vir pra cima, não tenho medo. Eles só entendem a violência." (08-09-2013)

> "Toda ação tem reação. Eles estão lá para reprimir e a gente responde." (08-09-2013)

> "O Black Bloc é uma reação à violência policial, a um estado assassino." (26-10-2013)

Nas conversas com os jovens, o Black Bloc sempre foi definido como "reação à ação da Polícia Militar". Ao longo do tempo comecei a perceber o significado desta noção que parecia tão importante para eles. Hoje creio ter entendido que, segundo a lógica desses manifestantes, não era só a atuação pontual do policial, um sujeito determinado, numa manifestação específica, que desencadeava a violência supostamente reativa do Black Bloc. Para eles, era a atuação da polícia de forma geral, era a corporação, identificada como agressiva, hostil, que provocava esta "reação". Como se todas as ações da Polícia Militar, de ontem, de hoje, do Rio de Janeiro, de São Paulo, de toda a sua gama de atuações, definidas por eles como "truculentas", fossem se acumulando, amontoando-se, e inflamando os ânimos de protesto em protesto. Uma reação de vingança não ao policial, mas à instituição, ao que ela significa na mentalidade da tática.

Dialética da ação-reação. Segundo essa lógica, a polícia representa um monopólio da violência do estado considerado ilegítimo, abusivo para o Black Bloc, diante do qual a resposta só pode ser, também, violenta.

> "É uma cultura do extermínio, claro, não aqui, na periferia. A gente está cansada de saber que eles matam muito! Então, fodam-se, claro que eu vou jogar pedra. São uns merdas, só sabem bater ou matar." (25-10-2013)

Meu primeiro protesto tinha sido no dia 1º de agosto de 2013, sob o lema "Cadê o Amarildo". Aí estava evidenciada essa dialética de forma nítida. Outra cidade, outros policiais, outro contexto, outro universo de significados. Em aparência, nada a ver com os manifestantes daquele dia em São Paulo. Na realidade, tudo a ver. Para eles, os policiais da UPP da Rocinha, eram os mesmos que estavam naquela noite acompanhando a manifestação em São Paulo. Formavam parte da mesma instituição, portanto, eram alvo do mesmo ódio.

> "Nossa polícia é mal preparada, é só na cultura do espancamento. Não gostava de ver policiais feridos, mas hoje vejo que não merecem respeito, aqui onde eu moro matam muito! É uma forma de gritar contra eles... Não suporto mais... na manifestação é o único momento que posso xingar, gritar, falar com o PM. Vamos para guerra..." (10-09-2013)

O policial deixa de ser homem. Não tem rosto ou nome. É farda. É a representação de um grupo com o qual não se transige, não se dialoga. As características individuais desaparecem e só o coletivo é enxergado. A dinâmica que opera é simples. A corporação da Polícia Militar como um todo é julgada como brutal. O policial não é um sujeito individualizado e sim representante da mesma. Cada policial, portanto, é classificado como agressivo, sem opção a redenção, por pertencer ao coletivo.

> "Cada PM pode ser legal ou um filho da puta, como aqui, como em qualquer lugar, mas a corporação é outra história... Se abro a cabeça de um deles, fico feliz da vida, porque estão fodendo com a gente..." (07-09-2013)

> "Ah, o policial pode ter seus problemas, mas fardado não é um de nós, ele representa uma corporação assassina." (07-09-2013)

Porém, em algumas ocasiões esta dialética do estigma é quebrada pelo comportamento de certos policiais, destacados do conjunto. Em diversas manifestações tenho acompanhado o trabalho de alguns policiais que, com intuito mediador, se aproximavam para conversar com os manifestantes, inclusive com os mascarados, na tentativa de reduzir o clima de tensão. A resposta da maioria dos Black Blocs a esse tipo de iniciativa tende a ser positiva, identificando outro perfil que não encaixa na categorização de "*violento, que só sabe bater*".

> "A gente respeita o policial X... O cara sabe dialogar, escuta, se compromete. Ele tem nosso respeito." (22-02-2014)

Esse policial que se sobressai do conjunto e que agrada por ter uma postura de diálogo passa pela dinâmica oposta, de desestigmatização. Esse é, sim, um sujeito individualizado, seu comportamento não pode ser extrapolado ao grupo. O silogismo que opera em muitas das conversas é facilmente descodificável: o policial X dialoga, sabe conversar além de bater, mas está agindo de forma pessoal, não representa a corporação. Atitudes tidas como agressivas pertencem ao coletivo da Polícia Militar. Atitudes tidas como dialogantes pertencem a um determinado policial.

> "Ele é um mediador e gostamos dele por isso, mas a gente sabe que na PM não é dessa forma. Sim, tudo bem, ele sabe conversar, mas os outros, nada disso! Só batendo! A gente está falando com ele, mas vê os outros por trás com sangue nos olhos, querendo bater, mesmo porque isso é o que eles sabem fazer. Tomara que tivessem mais policiais treinados para mediar. Não sei, tipo os caras que estão negociando num sequestro, não? Mas não, esses aí só na violência, nada de diálogo." (22-02-2014)

Um dos episódios que refletiram com mais força toda esta dinâmica contra a Polícia Militar foi a agressão por parte de alguns manifestantes contra o coronel Reynaldo Simões Rossi na manifestação de 25 de outubro de 2013, no Parque Dom Pedro. Os comentários posteriores não deixavam muito lugar para dúvidas. O fato era celebrado, comemorado como revanche, na figura de um coronel, à atuação de toda uma corporação.

A retórica era clara: se a polícia militar é assassina, ele merecia.

"Se isso é tentativa de homicídio, o que a polícia faz todos os dias nas favelas e nas ruas ocupadas também é. Eles matam o tempo todo. O Brasil é um dos países com maior letalidade policial do mundo. E ficamos assustados por uns tapas em um coronel? Ah, vamos, é o mínimo. Eu fiquei feliz, foi merecido. Quando vi as imagens, porque na manifestação nem soube o que aconteceu, foi como se eu estivesse me vingando por tudo o que eles fazem." (25-10-2013)

"Vitória nossa, sim. Eles devem pagar por tudo que fazem. Na periferia é na bala, na bala mesmo. Eu não vou ficar preocupado por ele. O mínimo que merecia era isso. Coitadinho, que coitadinho. Assassinos!" (25-10-2013)

É isso. O policial-não-homem. O policial-corporação. A imagem de uma Polícia Militar violenta. Nesse dia 25, escutando as reações, pensava como esse era um dado que expressava de forma clara uma das úlceras ainda mais abertas da sociedade brasileira, a da segurança pública. Um dos debates ainda não feitos. O jovem estudante, o jovem de periferia, representantes de mundos opostos, com uma identidade comum de desprezo contra uma corporação, pensando no estado como sendo não só incapaz de fornecer segurança, mas como perpetrador da barbárie. A polícia, claro, no centro dessa percepção, como se fosse o único ator no palco.

"Eu sou um manifestante amputado.
Eu sou um manifestante cego.
Eu sou um manifestante agredido.
Eu sou um repórter ferido por munição letal.
Eu sou um manifestante de cara coberta.
Eu sou um manifestante a favor do povo.
Eu sou cada um dos que estavam lá ontem, por mim e por você."

> "Eu não tenho medo de ir às ruas, de mostrar a minha cara e me esconder quando soltam as bombas de gás. Eu não tenho vergonha quando chamam a todos de vândalos e tenho coragem para chamar essa pessoa para ir comigo na próxima vez.
>
> Mas, acima de tudo, se eu precisar vou lutar sozinha até a morte, mas NUNCA ficarei de joelhos para um governo que não dá as caras, rouba o povo e ainda o massacra quando reivindica seus direitos, inclusive o de livre manifestação. Não tem partido, não tem lado, o sistema político está corrompido em sua essência, a democracia está morta e empalada em praça pública, só não vê quem não quer."
>
> (Facebook de manifestante, 08-09-2013)

A dialética da guerra, da luta contra o inimigo, sempre foi explícita. Em termos abstratos, esse adversário é o estado, o sistema avaliado como opressor e digno de uma resposta combativa. Em termos concretos, muito mais tangíveis, o único rosto visível do estado na rua é a Polícia Militar, portanto, ela acaba sendo o rival no duelo e contra ela se dirige a contenda. O fato é que, entre o Black Bloc, a metáfora da guerra contra a Polícia Militar foi uma variável muito presente em várias conversas.

Em diversas ocasiões escutei frases impetuosas como as que se seguem, viscerais. Parecia que o ódio estava articulando seu discurso pela boca desses jovens. É fato que o impulso e a veemência são da natureza do jovem. É fato que, a maior parte do tempo, a polícia não desperta sentimentos de empatia nem carinho na população. Mesmo levando isso em consideração, em certos momentos, depois de certas manifestações que tinham sido especialmente tensas, não deixava de me surpreender com o conteúdo colérico de algumas falas. Segundo essas, se a Polícia Militar atua violentamente, o Black Bloc está legitimado para responder com o mesmo grau de intensidade porque estamos numa situação de guerra, numa "*ditadura disfarçada de democracia*". Não se esperam atitudes democráticas do poder, então, o confronto é a resposta.

> "Os PMs não agem só em obediência, têm vingança... e num estado de caos, a lei de Talião é que vai imperar. Ouço vários amigos dizerem que vão reagir a isso à altura, que vai ser a guerra."(10-09-2013)

> "Depois do que vi no dia 7, será uma guerra civil. Como na Síria, Egito. Derramamento de sangue, população morta, mas infelizmente, esse é um dos únicos caminhos para que se encontre a paz e a igualdade."(10-09-2013)

> "Jamais condenaria alguém que mutilasse o responsável pelo tipo de coisa que vi na minha frente (PM): espancamento gratuito a uma mulher grávida, vários assédios, ameaças deboches, esse tipo de coisa. Agora só guerra, só guerra mesmo e cada vez pior." (11-09-2013)

A legitimidade do monopólio da violência em questionamento. A pergunta que surgia nas mais diversas ocasiões distava muito de ser simples. Realmente o estado está legitimado para manter o controle da violência? Por quê? A ciência política respondia, só que a resposta nunca parecia lhes convencer.

> "Por que o policial tem o monopólio da violência? Lá atrás, faz séculos, tudo bem. Agora? Quem dá a esses caras esse monopólio?" (25-02-2014)

O cenário da cidade é entendido como *locus* de guerra, e numa guerra nada mais natural do que as vítimas. Vítimas de diversos tipos. Para o Black Bloc, os manifestantes machucados, os manifestantes detidos de "forma arbitrária e sem respeitar o estado de direito, como faria um estado opressor", considerados "presos políticos". Para a Polícia Militar, os policiais feridos.

Neste sentido, a morte de Santiago Ilídio Andrade, cinegrafista da Band, atingido na cabeça por um rojão na manifestação do dia 6 de fevereiro de 2013, no Rio de Janeiro, foi significativa. Muitas das reações à tragédia seguiram a dialética da guerra, segundo a qual, Santiago teria sido vítima de uma situação de confronto contra o "aparato repressor do estado". Dado que o confronto continuava, outras podiam vir.

> "É triste o que aconteceu, claro, sinto muito pela família dele, mas ele foi uma vítima da guerra das ruas. Antes dele teve também outras pessoas que morreram só que ninguém fala delas, eram pessoas anônimas." (07-02-2014)

> "Ele não foi o primeiro e talvez não seja o último. A guerra continua, então temos que estar prontos para mais vítimas." (06-02-2014)

Muito tenho pensado nesse processo que envolve policiais e manifestantes, como se o território urbano fosse a encarnação de um cenário bélico e como se o policial ou o Black Bloc fossem os inimigos a combater. Desde que cheguei ao Brasil não deixo de escutar lamentos ou críticas sobre a guerra silenciosa que o país vive. "O Rio é uma guerra", "a guerra entre o crime e a polícia", "a periferia vive em guerra", "temos estatísticas de guerra...".

Só que agora a guerra, sua metáfora e sua realidade, se deslocam para o centro da cidade.

Já não é mais no morro ou na periferia, agora é na avenida Paulista.

veja

PROTESTOS NO BRASIL

11/02/2014 - 19:54

Protestos

Como o Black Bloc matou as manifestações

Com desrespeito às instituições, intolerância e práticas violentas, mascarados expulsaram o cidadão comum dos protestos. Agora, tentam justificar a morte de um cinegrafista citando "outras mortes da PM". Agem, assim, como quem tolera a ação de justiceiros

Mais sobre "Protestos no Brasil":

Notícias (599)

Justiça manda soltar manifestantes presos em SP

MP defende manutenção da prisão de manifestantes

Dupla foi presa por outros atos violentos, diz Alckmin

ESTADÃO

Brasil

Black Bloc RJ lamenta morte e divulga protestos para esta segunda-feira

THAISE CONSTANCIO - O ESTADO DE S. PAULO

10 Fevereiro 2014 | 19h 38

Pelo Facebook, grupo afirma que pessoas morrem nas mãos dos policiais e que esses casos não merecem investigação tão profunda

RIO - Em sua página no Facebook, o Black Block RJ lamentou a morte cerebral do cinegrafista Santiago Andrade, nesta segunda-feira, 10, em decorrência de afundamento de crânio após ser atingido por um rojão de vara durante manifestação na quinta-feira, 6. Apesar de desejar "toda força a família", o grupo publicou chamado para outras duas manifestações contra o aumento das passagens municipais. Na mensagem, o Black Bloc RJ cita a morte de um idoso que teria sido atropelado por causa da violência policial. No entanto, não há informações sobre o homem.

RECOMENDADAS

Morte embaralha cenário eleitoral

Família está muito abalada

Artistas lamentam morte de Campos

Tragédias aéreas na política brasileira

© Mídia NINJA

CAPÍTULO 11.

01-08-2013 A 01-08-2014

"Quando vem por aí algum problema social o governo sai correndo e solta a polícia na rua, mais do mesmo."

Um ano depois da minha primeira manifestação como pesquisadora da tática Black Bloc, estou escrevendo estas páginas. Durante esse tempo, muitos acontecimentos foram se sucedendo, alguns, infelizmente, ao contrário do que eu esperava.

Na primeira manifestação, em 1º de agosto de 2013, cheguei em casa pensando que esse tal de Black Bloc seria um fenômeno rápido, fugaz, desses que passam um tanto imperceptíveis aos olhos da sociedade, ganham algumas manchetes e vão embora. Hoje, está claro meu erro de percepção. O termo Black Bloc, assim como as jornadas de junho ou os protestos contra a Copa, ficará na memória de muitos, mas o que ficará mais ancorado na minha memória é um sentimento nítido de derrota coletiva porque não soubemos ou não quisemos criar pontes de diálogo.

O poder se afastou da rua quando deveria ter estado mais perto dela e tudo se transformou num assunto de polícia, com a conivência óbvia de certos veículos de comunicação que prezaram pela histeria em vez da seriedade.

> "Conclusão, a história de sempre. Quando vem por aí algum problema social o governo sai correndo e solta a polícia na rua, mais do mesmo (...) Eu aprendi muito durante este ano. Aprendi de política, saí às ruas pela primeira vez. Minha vida mudou muito, sou outro, mas vejo o resultado agora e penso que tem um monte de gente detida, que muitos foram presos, penso na pancadaria da polícia. Não vivemos numa democracia. Não é verdade que temos direito de nos manifestar. A gente tem que aprender muito ainda, temos que continuar na luta para deixar uma democracia de verdade para os nossos filhos, não esse sistema de merda, onde o pessoal pede para a polícia bater, onde você tem uma presidente que foi guerrilheira, que estava onde nós estamos hoje e se vendeu. Traíra." (adepto da tática Black Bloc, 31-07-2014)

> "Tudo piorou muito. Como sociedade não soubemos reagir bem. Acho que todos temos culpa nisso (...) Olha aí, o governo em vez de dar a cara nos utiliza (a PM), a sociedade pede que sejamos duros com os Black Bloc e depois nós que recebemos as críticas! Para nós, PMs, não é fácil a situação. Obedecemos ao governo, mas estamos na rua com as pessoas. É assim mesmo, vivemos numa sociedade violenta, que prega a violência o tempo todo. Muitas coisas devem mudar. Não dá mais para deixar as coisas como estão." (oficial da PMESP, 30-07-2014)

Segundo os dados da Ong Artigo 19, 2.608 pessoas foram detidas ao longo de 2013 durante os 696 protestos no país, sem contar os inúmeros feridos, manifestantes e policiais, a morte de Santiago Andrade e a contínua degradação da situação nas ruas mediante o enfrentamento crescente com a Polícia Militar. A percepção, depois de tantas conversas com adeptos da tática Black Bloc, com manifestantes que não aceitam a violência e com policiais, é que esse sentimento de derrota coletiva é geral.

Movimento *punk* da periferia: um dos precursores das ações diretas.

© Willian Novaes

Placas e faixas ganham as ruas e "decoram" centenas de ônibus na capital, milhares de trabalhadores ficam sem transporte para voltar para casa nos protestos liderados pelo MPL.

P.D.PEDRO II
EDUCA
ÇÃO
FUTURO
seja marginal
seja herói
AMOR
POR UM
MAIS

Relação intensa: Imprensa x Black Bloc x Policiais Militares — quanto mais perto, melhor.

Milhares de manifestantes tomaram as ruas da região da avenida Paulista em junho de 2013. Depois de horas de caminhada, multidão termina de subir a avenida Brigadeiro Luís Antônio.

© Willian Novaes

Largo da Batata, junho de 2013. Marco zero das passeatas com destino à avenida Paulista.

© Eli Simioni

Ação direta: concessionária da Mercedes é alvo. Vidraças e *flashes* estouraram ao mesmo tempo.

© Eli Simioni

Na hora h, *performance* estética e violenta: agência bancária é atacada a chutes e pedradas.

Cinco mascarados para destruir uma placa de sinalização. Minutos depois o objeto se transforma em barricada no meio de sacos de lixo e escombros.

Primeiros mascarados surgem nos atos do MPL em junho de 2013. Fogo, barricada e pose para a foto.

Na linha de frente, Black Blocs "puxam" os atos do MPL.

Robocops: policiais militares ganham apelido por causa do novo uniforme.

Mascarada, porém maquiada: rímel e lápis nos olhos.

Ponto alto. Garotos destruíram carro da Polícia Civil, no centro de São Paulo, em um dos atos mais ousados dos manifestantes.

Uma das principais *performances* do MPL, o ato de colocar fogo em catracas de papelão, pedindo o fim da cobrança da tarifa no transporte público.

© Eli Simioni

Além das ações diretas, mascarados interrompem o trânsito nas principais vias com pedras e o que mais encontram pela frente.

Confronto no centro da capital paulista. O rap foi uma das principais trilhas sonoras da tática.

É O CRIME
GOG
VENDA SOB
PRESCRIÇÃO PERIFÉRICA
TARJA PRETA

Mascarados comemoram confronto com a Tropa de Choque com o “antídoto” contra as bombas de gás lacrimogênio nas mãos: uma garrafa de vinagre.

Hoje, agosto de 2014, estamos assistindo a um recolhimento da tática depois da Copa do Mundo. Vários ativistas foram presos, inclusive alguns que nunca colocaram uma máscara, o que está obrigando os adeptos a se retirarem, mas é uma retirada sem que o ódio tenha sido resolvido. Os discursos continuam agressivos, duros. A legitimação da violência, inclusive contra o policial, permanece.

> "É momento de pensar e recolher. Se não, vamos acabar todos presos. Vamos tentar outras formas de luta, movimentos mais politizados, por enquanto sem ação direta ou com ações mais focadas, unir os movimentos que estão muito dispersos... Mas isso não significa que a tática acabou, não, claro que não. Em outro momento a utilizaremos de novo. Foi muito importante, muito útil durante esse tempo e o será de novo (...) Eh!, as coisas não melhoraram, a repressão piorou muito, vivemos num estado de exceção, então como vamos parar, não, claro que não, com medo de cadeia, a gente continua." (01-07-2014)

O Black Bloc veio para ficar. A causa que motiva os garotos de preto a lançar a pedra continua a mesma, se não mais contundente depois desse ano de protestos. Desencantamento absoluto com a política, raivas pessoais, raiva intensa contra a polícia. A raiva não foi resolvida, foi piorada pelo absentismo macabro dos diversos níveis de governo que jogaram na polícia uma tarefa que não era dela. O problema da raiva é que ela cresce e se espalha pelo conjunto social muito rápido, porque sempre encontra ótimos disseminadores.

> "Tem que acabar com o policial mesmo. Porco fardado que só sabe matar. Se taco uma pedra nele e mato, não vou me importar." (adepto da tática Black Bloc, 26-10-2013)

> "Desce cassetete neles, porra (nos manifestantes). Coloca todo o mundo na cadeia e joga a chave no fundo de um poço!" (cidadão

assistindo às imagens da depredação a uma concessionária durante a manifestação do MPL de 19-06-2014)

Aí está. O ódio se derrama muito rápido.

Num país que tolera seus mais de 50 mil homicídios por ano, o garoto que lança a pedra tem exemplos suficientes de que a violência é, lamentavelmente, uma forma de relação social e política.

> "No fundo, eu me pergunto que exemplo, como sociedade, estamos dando a essa molecada. Se eles, talvez, já tenham visto a violência em casa, se vêm a violência todo dia, na rua, na TV, os governantes, na verdade, não estão nem aí para eles... como a gente faz com um moleque de catorze anos para lhe ensinar que não, que com violência piora tudo, que é um desastre..." (cidadão, 08-04-2014)

Simplesmente, não temos maturidade para o diálogo.

Nos primeiros meses da pesquisa, junto com meu então colega de etnografia, Rafael Alcadipani, da FGV, escrevi um artigo para a *Folha de São Paulo* com uma mensagem muito clara: devemos parar com a neurose e o estigma que só nos afastam do entendimento.

Hoje, um ano depois, estamos muito mais longe do diálogo.

Análise: É preciso deixar para trás estigmas sobre 'black blocs' e polícia
ESTHER SOLANO
RAFAEL ALCADIPANI
ESPECIAL PARA A FOLHA
28/10/2013 03h15

Conduzimos uma pesquisa sobre as manifestações. Vamos até elas, observamos e conversamos com as partes envolvidas. "Black bloc" e PM são os atores principais. Como cada um deles pensa o que está acontecendo? Como cada um deles enxerga o outro?

A princípio, muitos dos PMs tinham receio de falar conosco, mas, com o tempo, as conversas começaram a fluir. Vários policiais relatam estar bastante estressados.

A frase a seguir é típica: "Estou mais tenso em casa. Tá muito pesado para nós. Somos ofendidos o tempo todo".

Reclamam da falta de respeito nas ruas, algo que parece ferir suas identidades: "Tá difícil, ninguém mais respeita a polícia".

Oficiais criticam o aumento da criminalidade em suas regiões como consequência do desvio de recursos do combate ao crime comum para policiar manifestantes. Vários dizem não entender os motivos dos que estão nas ruas.

Por outro lado, os jovens que utilizam a tática "black bloc" sentem uma aversão clara à PM.

"A gente sabe que o policial, como indivíduo, tem muitos problemas, salário ruim, trabalho precário, mas quando ele coloca a farda é corporação e essa não vale nada! Eles matam na perifeira, batem em manifestante, jornalista, até advogado."

Os finais das manifestações são sempre os piores momentos. Todos estão mais tensos e a paciência dos PMs vai se exaurindo. A porta para os exageros se abre.

Qualquer ação policial é gravada e distribuída via internet, reforçando a imagem de truculência da PM, gerando mais ódio nos manifestantes que respondem mais violentamente.

Estamos diante de uma espiral de violência, uma dialética de ação-reação entre PM e "black bloc". É urgente sair dos estigmas manifestante-vândalo contra PM-violenta.

A polícia do Brasil está repleta de questões a serem pensadas, porém, ela é um espelho da nossa sociedade, que coloca a violência no centro das relações sociais.

É preciso um diálogo construtivo a respeito da polícia que queremos e da sociedade que queremos.

CAPÍTULO 12.
ANEXO: NO FACEBOOK

"VOCÊ pode escolher deixar de me seguir e pode escolher me odiar após este texto. Mas vou falar o que penso sem medo.

A VERDADE é que você nunca se preocupou com o PATRIMÔNIO PÚBLICO — hospitais, escolas, museus, teatros, praças, ruas, monumentos ou qualquer outro bem PÚBLICO que VOCÊ insiste em ignorar na sua vida que é regida por EMPRESAS E BENS PRIVADOS. Talvez você nem saiba de verdade como é uma escola pública no meio de uma comunidade ou de um bairro pobre. Nem tenha ideia do que é para quem não possui um PLANO DE SAÚDE, o INFERNO dos hospitais PÚBLICOS, onde as pessoas estão largadas nas macas, não existem leitos para todos, os MÉDICOS não têm equipamentos e nem estrutura para atender a população. VOCÊ NUNCA SE IMPORTOU SE ISSO É PATRIMÔNIO PÚBLICO e nem quais as condições sob as quais estão sendo administrados.

A VERDADE é que você NUNCA SE IMPORTOU quando o BRAÇO ARMADO DO ESTADO entrou em uma comunidade sem mandado de busca e apreensão e saiu invadindo e destruindo casas, tratando os moradores como se TODOS FOSSEM BANDIDOS, humilhando, desaparecendo com pessoas, torturando e cometendo um monte de barbaridades e TODAS ELAS FORA DA LEI.

A VERDADE é que você só conhece UMA VERDADE e a VERDADE QUE VOCÊ CONHECE é a VERDADE que você lê nas revistas e assiste nos JORNAIS pela TV.

Então, POR FAVOR, não venha dizer agora que você está PREOCUPADO com o PATRIMÔNIO PÚBLICO que está sendo destruído por alguns grupos nas MANIFESTAÇÕES.

Você NUNCA SE IMPORTOU COM NENHUM PATRIMÔNIO PÚBLICO, NUNCA FEZ NADA para que esse PATRIMÔNIO PÚBLICO deixasse de ser SUCATEADO, ESQUARTEJADO POR ANOS E ANOS DE GOVERNOS CORRUPTOS E OMISSOS, que passaram por Municípios e ESTADOS desse PAÍS.

Se você fosse REALMENTE CONTRA A VIOLÊNCIA E A DESTRUIÇÃO DO PATRIMÔNIO PÚBLICO você sairia da sua vida confortável — ainda que você esteja confortável dentro de TODO DESCONFORTO QUE O ESTADO OFERECE — e já teria se manifestado e aprendido a dar VALOR ao seu VOTO e certamente JÁ TERIA SE MANIFESTADO ANTES DE TODAS ESTAS MANIFESTAÇÕES.

SE VOCÊ QUER SABER BEM A VERDADE, talvez você NEM SAIBA COMO FUNCIONAM AS COISAS NAS ASSEMBLEIAS LEGISLATIVAS, NAS CÂMARAS MUNICIPAIS E NO CONGRESSO NACIONAL, porque TALVEZ você nunca tenha se interessado em CONHECER ESTES LUGARES e entender como é que estes homens e mulheres que lá estão — CRIANDO AS LEIS QUE VOCÊ SEGUE — trabalham.

Então, me desculpe — NÃO VENHA DEFENDER ALGO COM O QUAL VOCÊ NUNCA SE IMPORTOU.

Seu discurso é superficial e completamente VAZIO. Você é apenas mais um PAPAGAIO desse sistema que te trata como um OTÁRIO enquanto você o defende por PURO FALSO MORALISMO E HIPOCRISIA.

Agora já pode deixar de me seguir e me odiar e me xingar nos comentários. Mas eu não serei mais um instrumento de REPETIÇÃO dessas mentiras que estão sendo VENDIDAS POR AÍ. Sempre manifestei meu REPÚDIO À VIOLÊNCIA, mas a VIOLÊNCIA SEMPRE PARTIU DO ESTADO — na medida em que esse NUNCA se preocupou REALMENTE EM OFERECER CONDIÇÕES PARA que a PAZ que VOCÊ deseja e que talvez você CONHEÇA, seja a realidade de quem não pode PAGAR POR ELA. Tem um álbum de exemplos de vandalismos dos quais você não se importa que existam.

Boa sorte."

(Facebook de manifestante, 30-10-2013)

Ataques performáticos garantem exposição instantânea na mídia em geral

PARTE 2.

O JORNALISTA – BRUNO PAES MANSO

CAPÍTULO 1.

COADJUVANTES NAS RUAS DO BRASIL: ASCENSÃO E QUEDA DO BLACK BLOC

"Eles se perderiam em suas próprias contradições."

Hora do *rush* no Minhocão travado. Hora do Brasil no rádio. Horas extras no trabalho que não serão pagas. Dia 6 de junho de 2013, quinta-feira, em São Paulo. Eu e meu mau humor seguíamos dentro do carro a caminho de uma manifestação do Movimento Passe Livre (MPL). Eu achava que a história não daria em nada, enquanto dava uma longa bufada e batia os dedos no vidro.

Desânimo completo, mas de repente, o trânsito para por completo. Alguns garotos passam correndo ao meu lado, tapando a boca com a camisa. A polícia está jogando bombas de efeito moral no Shopping Paulista, distante a mais de um quilômetro dali. É o que eles me contam quando abaixo o vidro. É mais rápido descer e sair correndo pela calçada. A adrenalina é bem-vinda na hora H. Foi bom ter vindo trabalhar de tênis. Quem diria que aquele fim de tarde aborrecido e sem perspectiva viraria um capítulo para entrar na história política e social do Brasil?

A queda de um avião, um golpe de Estado, um atentado terrorista. Quase sempre, dentro das redações, sabemos quando estamos diante de uma grande história. Não foi o caso naquele dia 6. No televisor da redação, a TV Gazeta mostrava imagens da manifestação do MPL ainda no Vale do Anhangabaú, no centro de São Paulo. Ninguém deu bola. Jovens com excesso de hormônio em busca de aventura. Nada de novo. Seria no máximo uma pequena coluna no jornal do dia seguinte. A situação mudou quando vimos no Twitter que a Tropa de Choque da Polícia Militar iria entrar em ação e que os manifestantes parariam a avenida Paulista. Foi quando, por obrigação profissional, decidi me mover para a rua, transbordando de ceticismo e má vontade. Eu ainda achava que não passava de blefe. A redução dos vinte centavos, apenas mais um *slogan* entre tantos outros que se perderiam no vazio.

A26 | Metrópole

Perfil

MOVIMENTO QUE PAROU SP QUER 'CAUSAR'

Grupo se recusa a falar com Haddad e aposta no conflito para reduzir tarifas de ônibus na capital

Inspiração em Carlos Marighella

Pinheiros. Na noite de anteontem, manifestantes fecharam a Marginal por meia hora

Centro. Na quinta-feira, sacos de lixo e cones foram incendiados na Avenida 9 de Julho

Erros de avaliação, incapacidade de prever o futuro. Uma derrapada seguida da outra. Faz parte do processo de se fazer jornalismo. Vamos corrigindo a rota ao longo do percurso. Naqueles dias de junho, contudo, os enganos iniciais não se restringiam às minhas avaliações nem às dos meus colegas, mas de toda a sociedade. Policiais, políticos, videntes, tarólogos ou Mãe Dinah. Ninguém foi capaz de prever o terremoto que viria. O mês de junho mudou o Brasil e continua tendo efeitos sobre o jornalismo, a política, o debate sobre segurança pública, transporte, qualidade de vida nas cidades, entre tantos temas. Julho traria ainda o Black Bloc, coadjuvante das manifestações que atraiu rapidamente os holofotes para si. Se a tática do quebra-quebra e a estética da roupa e máscara preta começaram como novidade, espalhando o visual e a atitude dos mascarados de preto por outras capitais, principalmente Rio de Janeiro, Belo Horizonte e São Paulo, com o passar dos meses eles se perderiam em suas próprias contradições, perdendo rapidamente a relevância política ao longo do ano. Sem antes ajudar a revelar as confusões existentes em nossa própria sociedade.

CAPÍTULO 2.
A GERAÇÃO DAS RUAS

"As ruas se tornariam o palco de protestos de uma nova geração de insatisfeitos."

6 de junho caiu numa quinta-feira. Eu me aproximava do Shopping Paulista correndo, ofegante e surpreso com a quantidade de jovens envolvidos naquela confusão. Em poucos minutos, testemunharia diante dos meus olhos o ato ser potencializado por uma PM que iria agir no improviso e de forma equivocada, e em uma imprensa viciada em noticiar somente quando existe confusão e violência.

As ruas se tornariam o palco de protestos de uma nova geração de insatisfeitos, nascida e crescida em São Paulo, ao mesmo tempo ambientada e saturada pelo caos urbano. Uma geração diferente da minha. Eu faço parte de uma época anterior e por isso me senti muitas vezes incomodado e desafiado quando via essa garotada na rua. A minha geração, que cresceu na São Paulo dos anos 1980 e 1990, ocupou um papel de fazer a transição das mudanças protagonizadas pela geração anterior, que já havia transformado o mundo nos anos 1960 e 1970.

Precisamos, dessa forma, transitar com jogo de cintura o contexto instável de um país que se tornava urbano e democrático. Vi, ainda criança, o movimento das Diretas, em 1984. Oito anos depois, já na faculdade, caminhei pelo *impeachment* do presidente Fernando Collor. Apesar de serem movimentos populares, ambos seguiram a reboque das articulações de bastidores no Congresso Nacional, tendo os políticos como maiores protagonistas. O mesmo ocorreu no plano de estabilização econômico, que criou o real, baseado no conhecimento técnico de economistas.

Em São Paulo, minha geração tentou se adaptar à cidade nesse período de transições diversas. As mudanças já haviam sido feitas. Agora era necessário aprender a viver em meio a todas as transformações. Na cidade que tinha inchado rapidamente, havia assaltos, uma atmosfera de medo do convívio e de incompreensão, que provocou soluções provisórias como os *shoppings* para nos isolar entre iguais. Criamos uma cidade segregada por muros, ilhada dentro dos carros, sem pontes e praças para misturar a população. Éramos completamente ignorantes da cidade que estávamos criando.

Eu ainda me lembro da primeira vez que ouvi Racionais MC. Era o ano de 1991 e fiquei surpreso com a letra da música *Hey Boy*, um dos primeiros sucessos do grupo.

> "*Hey boy*, o que você está fazendo aqui
> Meu bairro não é seu lugar e você vai se ferir
> Você não sabe onde está
> Caiu num ninho de cobra
> Vai ter que se explicar
> Pra sair não vai ser fácil"

Morando em um bairro de classe média na região central, com pouco contato com as periferias, aquela raiva e revolta que Mano Brown cantava em suas letras seriam reveladoras em diversos sentidos.

Foi um choque cultural revelador, porque me mostrou como eu havia me isolado na cidade entre meus iguais. Eu já estava perto dos vinte anos. Iria começar a mergulhar nas entranhas de São Paulo nos anos que viriam, quando passei a frequentar e conversar com moradores de todos os cantos da cidade graças à minha profissão de jornalista.

Os Racionais foram um divisor de águas nos anos 1990 e funcionaram como uma ponte que ao longo dos anos aproximaria o centro e os extremos de São Paulo. Eles se autointitulavam a CNN da periferia. Prefiro compará-los à Al Jazeera por serem os porta-vozes de um mundo que antes deles tinha pouca voz. Falam da Faixa de Gaza, como eles próprios dizem. Aprendemos com a sinceridade das letras do *Hip-Hop*, e o debate centro-periferia se tornou mais complexo e profundo, assim como cresceu a visão crítica a respeito da estrutura da cidade criada para segregar.

Esse caldo cultural foi fundamental para formar a geração que nasceria depois da minha nos grandes centros urbanos. A grande variedade de tipos que seguravam cartazes para protestar na avenida Paulista era formada por jovens crescidos numa cidade já repleta de *shoppings*, educados por adultos com medo da violência, paralisados em um trânsito caótico dentro dos carros. Não havia mais uma cidade a ser construída, mas um lugar ao mesmo tempo fascinante e odioso, que precisava ser reformado para se sobressair por suas qualidades. São jovens que já estavam cientes da péssima qualidade do meio ambiente da cidade que herdaram de nós e de nossos pais. Era preciso pensar em novas fórmulas para salvar a selva de pedra.

Coletivos e jovens avulsos já vinham clamando por mais bicicletas e ciclovias antes de 2013. O excesso de carros na cidade estava bloqueando o fluxo do trânsito cotidiano, tornando São Paulo parecida com um moribundo às vésperas do enfarte com as veias entupidas. Em defesa do meio ambiente urbano, eles também fizeram churrascos nas ruas por causa da população de Higienópolis. Alguns moradores disseram que não queriam metrô e foram ironizados por causa disso. Os churrascões também foram feitos em solidariedade aos frequentadores da cracolândia, na região central. Foram organizadas festas e performances artísticas embaixo do minhocão. As ruas do centro deveriam ser ocupadas, festejadas, celebradas, dominadas.

Demorou para que eu percebesse. Mas anos e anos de crescimento caótico produziram moradores insatisfeitos e dispostos a lutarem pelos direitos urbanos e por melhorias na qualidade de vida. "Sim, a luta é pela cidade. Nosso meio ambiente está em São Paulo, não na Floresta Amazônica", me explicou uma das manifestantes. Transporte, violência policial, drogas, direito à moradia e à mobilidade. Se as cidades oferecem vantagens a seus habitantes, cobram custos muito elevados. Estava na hora de tentar cortá-los.

CAPÍTULO 3.
AS MANIFESTAÇÕES

"os jovens se levantam e fogem pelas laterais da avenida Paulista, deixando os policiais sem ação."

Eu aprendia lições com cada novo protesto que testemunhava nas ruas. Naqueles dias, tive aulas práticas de política com jovens na faixa dos dezoito anos. Aquela força invisível, incompreendida até hoje, que já havia provocado levantes no mundo árabe e em diferentes cidades, estava prestes a exercer sua mágica em São Paulo, acionada pelas peculiaridades locais. Seríamos apresentados à geração pós-*shopping*, com seus militantes iconoclastas, mimados, bem informados, nativos nas cidades e redes sociais, que pedem bicicletas e ônibus nas ruas, que parecem ter atravessado a ponte sobre nossos rios e que lidam melhor com as diferenças populacionais.

Socialismo, fascismo, social democracia, liberalismo: não existiam mais modelos a serem seguidos, mas, sim, fórmulas a serem construídas, novas utopias melhoradas. Nas ruas, lemas ligados a Chiapas, comandante Marcos, anarquismo, movimentos autonomistas, uma coleção de ideologias que ao mesmo tempo pareciam temas de música de skatistas e se revelavam um profundo desejo de mudança.

Só que naquela quinta-feira, as pautas do MPL eram objetivas. Concretas. Duas moedinhas a menos no preço da passagem.

Depois de correr em direção à confusão, percebi que o tumulto em frente ao Shopping Paulista era maior do que eu esperava. As bombas de gás lacrimogêneo fizeram muitos manifestantes correrem para dentro do *shopping*, causando confusão no local. Vi garotos meio assustados, mas também entusiasmados, que me avisaram para ir diante do Museu de Arte de São Paulo, onde ocorreria a nova concentração dos ativistas. A avenida Paulista seria bloqueada, com os jovens sentados na rua em frente ao museu.

No outro extremo da Paulista, em frente à praça Osvaldo Cruz, a Tropa de Choque se preparava para liberar o trânsito. Dezenas de viaturas perfiladas, com o giroflex ligado. Os homens da Tropa de Choque vieram andando lentamente, batendo com os cassetetes em seus escudos. Marcharam cerca de 400 metros produzindo esse barulho macabro que lembrava a trilha sonora do filme *Tubarão* ou tambores marcando o compasso antes de uma execução. Os jovens continuavam sentados em frente ao MASP. Bombas de gás eram lançadas à distância. Helicópteros da polícia e de redes de TV já sobrevoavam a região. Do alto dos meus quarenta e poucos anos, pensei nos meus filhos e tive gana de pegar os garotos pela camisa e mandá-los embora para evitar um massacre. Mas que nada. A tropa continuava se aproximando e eles continuavam sentados. Trezentos metros, 200 metros, 100 metros. Eu antevia uma surra. O bicho vai pegar, só que não.

Pouco antes do encontro dos dois lados do conflito, os jovens se levantam e fogem pelas laterais da avenida Paulista, deixando os policiais sem ação. A formação militar ficou estática, com homens olhando, sem comando, não sabendo o que fazer. Para piorar, em resposta à ofensiva da PM, as barricadas se intensificaram. Sacos de lixo pegando fogo fecham as ruas laterais. Cabines da PM bancadas pelos empresários locais são tombadas. Lixeiras, quebradas. Helicópteros da polícia e da televisão já sobrevoam a área. É quando os policiais se espalham improvisadamente e começa o jogo de pega-pega gigante e violento pela Paulista.

A ousadia dos garotos do MPL e dos demais coletivos fez com que a pequena nota prevista nos jornais ganhasse mais espaço. A notícia se tornaria destaque nos dias que se seguiram. O meu ceticismo ainda persistia, assim como de muita gente: afinal, o que exatamente havia ocorrido naquela quinta-feira? O tom do noticiário circulava em torno do choque entre o direito dos manifestantes de protestar em contraposição ao direito do resto da população de ir e vir pelas vias bloqueadas. O preço das tarifas não chamava a atenção dos jornalistas. Havia algo novo acontecendo, mas as palavras e os debates ainda estavam viciados com os termos de antigamente. Era hora de mergulhar na apuração, falar com os manifestantes, ser honesto na interpretação dos fatos, ouvir, enxergar, livre de preconceitos. Eu estava presenciando um capítulo da história, daqueles marcantes, que você agradece a oportunidade de estar vivendo. São momentos em que a gente se lembra porque quis ser jornalista. Só que eu ainda não havia percebido como estava envolvido com tudo aquilo.

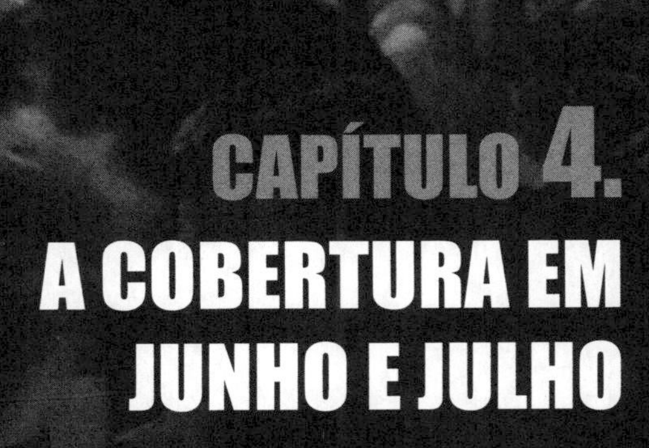

CAPÍTULO 4.

A COBERTURA EM JUNHO E JULHO

"O que é notícia? O que não é? Excelentes perguntas."

Os primeiros protestos contra o aumento do preço das tarifas de ônibus ocorreram em 2003 em Salvador. Foi a chamada Revolta do Buzú, durante o governo de Antônio Carlos Magalhães. A capital da Bahia parou quinze dias, com ruas bloqueadas por manifestantes. O motivo, vejam só, era também os R$ 0,20. A tarifa tinha subido de R$ 1,30 para R$ 1,50. No ano seguinte, foi a vez de os estudantes irem às ruas em Florianópolis. O Movimento Passe Livre seria fundado em 2005 no Fórum Mundial no Rio Grande do Sul. A discussão se misturava à de outros coletivos de assuntos diversos, que no geral se relacionavam de forma horizontal, sem hierarquias e líderes, pregando uma nova forma de fazer política e de conviver nas cidades. As discussões vinham dos debates antiglobalização dos anos 2000. Ação direta e desobediência civil passaram a ser encarados mais seriamente como uma forma de resistência. *Como a não violência protege o estado* é o nome de um livro que doutrinou parte dos ativistas. A ordem era chacoalhar o ambiente político que desde os anos 1960 vinha fortemente influenciado pelas táticas pacifistas.

Nas ruas de São Paulo, os estudantes passaram a ganhar lastro depois de 2005. O MPL sempre esteve na linha de frente das mobilizações. As catracas de papelão pegando fogo nos protestos simbolizavam a aposta dos manifestantes: eles estavam dispostos a mexer com fogo. O diálogo com os anarquistas adeptos da tática Black Bloc também não era novidade. Em São Paulo, os jovens que se vestiam de preto inspirados na estética *punk*, que atacavam agências bancárias, já haviam atuado no começo dos anos 2000, em protestos antiglobalização na avenida Paulista.

Só que a nova estratégia de ações em grandes avenidas na hora do *rush*, sem dar tempo de o governo respirar, organizada por um grupo bem articulado politicamente, com acesso às redes sociais e com maior poder de mobilização, conseguiria explorar todo o potencial das ruas. Na capital paulista, as jornadas de protestos em 2006, 2010 e 2011 infernizaram a vida do prefeito Gilberto Kassab. Bloquearam o centro de São Paulo. Invadiram o Terminal Parque D. Pedro II, chegaram a parar a avenida 23 de Maio. Seus militantes apanharam da polícia, levaram bombas de gás e tiros de borracha. As ações ocorriam quase sempre nos primeiros meses do ano, quando os políticos aumentavam o preço da tarifa dos ônibus e os paulistanos estavam em viagem de férias. Talvez por isso a repercussão fosse mais fraca. Existem coisas difíceis de explicar, mas antes de 2013 esses protestos não viravam notícia, como se não fossem vistos como assuntos relevantes. O que é notícia? O que não é? Excelentes perguntas.

Em junho de 2013, no entanto, ao contrário das manifestações anteriores, os eventos se encadearam perfeitamente. O paradoxal é que, apesar de existir por parte dos coletivos um plano vago de como agir e proceder, o acaso acabava dando as cartas, num período de sorte para os manifestantes. Não ter uma estratégia detalhada e traçados prévios de caminhos a seguir fazia parte da tática. Grandes linhas como "parar São Paulo até reduzir a passagem" eram o norte.

Junho parecia fadado a entrar para a história, como se até os astros houvessem se posicionado para acender o rastro de pólvora que faria as ruas explodirem.

O primeiro capítulo da história já havia sido um estouro. A avenida Paulista, parada por adolescentes, às 20h30. O teatro barulhento da Tropa de Choque. Isso tudo num intervalo que permitiu a captação de todos os tipos de imagens de TVs e jornais. Sem falar nas redes sociais. Ah, as redes sociais, os celulares, a internet, as novas tecnologias que, do dia para a noite, passaram a fazer parte de nosso cotidiano. Algo tão insignificante e sutil quanto as prensas de Gutenberg no século XV. As fontes de informação haviam se multiplicado. Nós só testemunharíamos mais claramente a dimensão dessa revolução nos dias que viriam. A mudança nas comunicações foi uma das mais impressionantes que presenciamos nas ruas.

Os celulares iriam ajudar a descrever a realidade partindo de variadas visões das pessoas que estavam nas ruas. Transformariam também todos os presentes em potenciais jornalistas. E mais. Cada dono de celular poderia virar protagonista de sua própria notícia, com os *selfies* em protestos colocados no dia seguinte na *timeline* do Facebook. A sensação era de que, ser estudante e não estar nas ruas naqueles dias havia se tornado um suicídio social. Algo como não gostar dos Beatles nos anos 1960.

Havia uma nova fase da cena política se formando bem na minha frente, mas ainda invisível aos meus olhos. Corrigida, tendo como base os erros antigos, a tática planejada para a tomada das ruas havia mudado. Nas manifestações contra Kassab, apesar de conseguirem reunir em alguns atos mais de mil pessoas, faltou conquistar o objetivo final de reduzir o preço da passagem. O MPL encurtou o intervalo entre os protestos e definiu que a paralisação das vias mais importantes seria o alvo. Não mais o esvaziado centro de São Paulo. O Poder Público, assim, não teria tempo para respirar.

Primeira manifestação na quinta, segunda na sexta e assim por diante. Além disso, o MPL vinha acumulando vivência nas ruas. As barricadas estavam mais eficientes. A tática Black Bloc seria o principal catalisador do processo.

O segundo ato, na sexta-feira, não foi menos impressionante, um dia depois do choque na Paulista. O governo ainda não havia assimilado o golpe quando o MPL parou a Marginal Pinheiros na hora do *rush*. Com o trânsito bloqueado, em um momento de desabafo, um promotor criminal chegou a pedir de dentro de seu carro, depois de ficar parado duas horas, atrasado para um compromisso, que a PM agisse de forma violenta. Era uma brincadeira de mau gosto, mas que também funcionava como termômetro dos ânimos na cidade. O MPL teve ajuda de poucos jovens vestidos de preto, mascarados com equipamentos antigás, que pararam a marginal usando equipamentos da CET. A tática Black Bloc estava perto de ser apresentada ao grande público de forma mais impactante. Um dilema havia sido colocado para a sociedade: os jovens queriam se manifestar, mas a cidade queria seguir adiante em seu cotidiano. O direito de quem deve prevalecer? E São Paulo não podia parar, mesmo caminhando sem norte, em direção a um profundo buraco.

Com tantas perguntas sem respostas, no domingo, integrantes do MPL explicaram suas ideias no jornal *O Estado de S. Paulo*: a forma como estavam organizados horizontalmente, como suas táticas eram pensadas, antecipando o debate que iria ganhar mais corpo com o tempo. Na segunda matéria da página, a ex-prefeita Luíza Erundina, que administrou a cidade entre 1989 e 1992, falava sobre o projeto de Tarifa Zero, proposto pelo seu então secretário de Transportes, Lúcio Gregori, técnico que havia se transformado numa das principais influências do MPL.

A semana que entrava prometia grandes surpresas, com duas manifestações na agenda. Foram sete dias em que nós, jornalistas, e todo o resto da sociedade, agimos como personalidades bipolares. Políticos, serventes, pilotos de helicópteros, vendedores de picolés, ciclistas, corintianos e jornalistas, nós amamos e odiamos aqueles atos, acusando e defendendo os manifestantes com a mesma intensidade no intervalo de poucos dias.

O terceiro protesto foi inesquecível, com os manifestantes sempre transitando na fronteira da tragédia. A estratégia do MPL já havia ganho corpo nos jornais e o assunto iniciava a semana como destaque. A caminhada começou perto das 18 horas do dia 11 de junho e seguiu para o terminal Parque D. Pedro II. A PM fez uma barreira para impedir os manifestantes de entrarem no terminal. Depois do impasse, alguns deles tentaram ingressar pelo lado de trás. Para variar, ninguém sabia direito o exato motivo das primeiras bombas terem sido lançadas. Mas a primeira serviu como anúncio para o bombardeio que se seguiu. Voltaram a ocorrer cenas impensáveis, como uma manifestante grávida recebendo disparos de bombas de gás depois de tentar impedir com gestos o avanço dos policiais. Só houve tempo para correr porque os jornalistas também eram alvo. Eu me lembro dos torpedos cruzando o céu na praça da Sé, eu tentando encontrar um abrigo antiaéreo na paisagem do centro, totalmente vulnerável. Policiais solitários que se desgarravam do grupo eram perseguidos por jovens mascarados. A tática Black Bloc mostrava seu espírito ousado e com raiva. Eu nunca havia testemunhado jovens correndo atrás de policiais em um protesto, e aquilo me impressionou.

Foi esse o dia em que a capa da *Folha de S.Paulo* estampou a foto do policial ensanguentado, com olhar assustado, segurando um revólver e tentando se levantar do chão. A imagem ganhou o Prêmio Esso de Fotojornalismo de 2013. E ajudou a deixar a população indignada com o exagero dos manifestantes. Três dias em sequência de trânsito, confusão e quebra-quebra em São Paulo. Surgia um clima de basta. Era hora de as autoridades reagirem. As pessoas, no geral, gostam de ordem. São poucos e normalmente jovens aqueles dispostos a verem o céu cair sobre suas cabeças em nome da mudança.

A noite de terça ainda traria surpresas em direção à avenida Paulista, o novo alvo daqueles grupos incansáveis de ativistas. Eu já estava esgotado, queria ir embora. Com minha caneta bic e meu bloquinho, acompanhei um grupo que subia a avenida Brigadeiro Luís Antônio. Alguns deles já haviam me deixado assustado quando quebraram janelas e picharam os ônibus no terminal. No trajeto para a Paulista, vi jovens quebrarem vidraças de bancos. Não consegui identificar qualquer racionalidade naquela ação. Eram os adeptos da tática Black Bloc, que eu ainda não conhecia. Num primeiro momento, eles pareciam apenas inconsequentes e vândalos. Tive vontade de dar um esporro. Como não censurar? Como chamar, afinal, aquele tipo de ação, a não ser com as palavras e conceitos que eu conhecia até aquele dia? Vandalismo era a única definição possível.

No final da noite, encontrei na avenida Paulista um colega da Faculdade de Filosofia, Letras e Ciências Humanas (FFLCH-USP). Contei sobre a confusão no centro e falei das minhas reservas. Comentei que eles não tinham entendido o espírito democrático da manifestação e que quebraram as vidraças. Foi quando ouvi pela primeira vez a explicação sobre as diversas táticas de movimentos de rua, entre elas a Black Bloc. No novo vocabulário, não se podia chamar aquilo simplesmente de vandalismo. Registrado. Pista a ser investigada. Mas não havia muito tempo para respirar. A violência e a confusão na terceira passeata tinham produzido entre a população uma enorme má vontade com os manifestantes.

Aquele típico mau humor de classe média. No dia seguinte, os jornais pedem ao governador que retome a avenida Paulista. Cobram um basta à desordem e à paralisação no trânsito. Comentaristas dão sermões na molecada do MPL. No *Estadão*, na quarta-feira, consigo levar integrantes do MPL para falar ao vivo no estúdio do jornal. Resgatei Caio Martins, de dezenove anos, de uma entrevista coletiva. Fomos juntos de carro para o jornal.

Eu estava ao mesmo tempo entusiasmado e curioso a respeito do que eles diriam. Precisava fazer as perguntas que todos queriam fazer. Por que o quebra-quebra no final dos protestos? Vocês têm o controle sobre as massas? O que vocês pensam do direito de ir e vir? O que defendem politicamente? São socialistas, anarquistas, capitalistas, petistas, tucanos? No carro, disse a Caio que ele me visse como seu avô, bravo, cobrando respostas por não entender o que o seu neto estava fazendo. Explique com compaixão, não com arrogância. O garoto de dezenove anos matou a pau, assistido por mais de 30 mil pessoas, respondendo com calma, usando frases e argumentos previamente combinados com o coletivo, minhas perguntas duras. Na rua, depois da entrevista, diversos manifestantes me reconheceram e me criticaram por ter sido truculento com o militante do MPL. Talvez eu tenha perguntado mesmo em um tom acima. Eu também estava preocupado com os rumos de tudo aquilo.

A quarta passeata, contudo, viria no dia seguinte para mudar a história. Eu me lembro bem dos momentos que antecederam aquele protesto. A concentração na praça da República, cerca de 10 mil pessoas. Minha intenção era apurar, inicialmente, sobre os adeptos do Black Bloc e situá-los entre os demais coletivos. A terceira passeata estava ainda fresca em minha memória. Eu fazia algumas entrevistas, procurava gente vestida de preto e com visual anarquista, quando encontrei o mestre Elio Gaspari, com quem já havia trocado *e-mails*. Ele iria emprestar sua credibilidade à narrativa dos fatos sobre a completa perda de controle da polícia que testemunharíamos naquele dia.

Não é o caso de dar detalhes, diante das inúmeras imagens que até hoje são reprisadas e permanecem à disposição no YouTube. Os jornais e formadores de opinião tinham pedido e a avenida Paulista parecia ter se tornado questão de honra para o governo. Os jovens pararam em frente à praça Roosevelt, perto da rua Maria Antônia com a Consolação, para conversar com os policiais. Eles queriam seguir adiante e a confusão começou. O tal do clima de basta levou os PMs a baterem sem censura em frente das câmeras. Sobrou para todo mundo. Com ou sem motivos, o porrete descia: jovens ajoelhados pedindo clemência, mulheres indo para casa, namorados e adeptos do Black Bloc, a surra foi geral. Mais de 100 pessoas ficaram feridas, algumas gravemente. O estresse acumulado, a cena do soldado ensanguentado no protesto anterior, parece ter contagiado a tropa, que saiu do armário.

Faltava preparo para lidar com manifestantes dispostos a reagir à violência policial. O coronel Cesar Morelli, comandante da Tropa de Choque, era o mesmo que havia abusado da violência na reintegração de posse em Pinheirinho, em São José dos Campos, no ano anterior. Só que a Paulista não era um terreno a ser reintegrado. Seria preciso para a polícia se reinventar e aprender, naqueles instantes, uma nova técnica. Não havia tempo. Ainda existia o estresse dos policiais. A violência, usada faz tanto tempo no trabalho cotidiano de alguns policiais, contagiaria aqueles homens de cinza.

Uma sequência de cenas me marcou naquela noite. Já perto da madrugada, depois de ver as porradas da PM por todos os lados, eu achava que a manifestação havia acabado. Só que os jovens insistiam em não arredar pé da Paulista e aplaudiam quando os PMs passavam pela avenida para expulsá-los. Bombas eram arremessadas, nuvens de gás subiam, o ar ficava irrespirável, alguns eram detidos e as pessoas dispersavam. Até que novos grupinhos se reuniam de novo, aplaudindo novamente os policiais que iriam expulsá-los. Novas bombas. Aplausos. Eu querendo ir embora, sem poder arredar pé por causa do compromisso profissional. De fato, eu não pertencia àquela geração que, como jornalista, eu precisaria compreender. Antes de partir, já depois da meia-noite, eu pedi um cigarro, depois de dois anos sem fumar. Acendi. "Respirei muito gás. Um cigarrinho não vai fazer mal." No dia 13 de junho de 2013, eu voltei a fumar. Muita coisa havia mudado. Quero voltar a largar o cigarro em breve.

O ESTADO DE S. PAULO

A24 | Metrópole

DIA SEGUINTE: Guerra no centro de SP

Repercussão

"Cheguei em casa ... com a certeza de que o protesto não é mais contra o aumento do ônibus: é contra o estado autoritário"

"São Paulo não para de lutar, a luta tem de nacionalizar"

"O que os jovens estão fazendo é se levantar contra esse modelo insustentável (de transporte) e retomar a rua, espaço que lhes é de direito"

Reportagem Especial*
Black Blocks de SP

● Estética
Máscaras, roupas pretas e jaquetas de couro fazem parte dos trajes dos Black Blocks, inspirados no visual punk

POR DENTRO DA 'TROPA DE CHOQUE' DOS PROTESTOS

Grupo que liderou depredações na terça-feira ajuda a entender complexidade das passeatas

HETEROGÊNEO

● Grupos que compõem as manifestações na capital paulista

Ataque. Integrante da 'tropa de choque' dos protestos lida com fogo e barricadas

'SOMOS CONTRA O SISTEMA E CONTRA A LEI'

Com panos e máscaras de gás no rosto, eles defendem vandalismo como estratégia. Em São Paulo, existiriam cerca de 100 integrantes

Anarquia. Grupo usa foto de ataque à Estação Trianon-Masp

© Wesley Passos

CAPÍTULO 5.
A EPIDEMIA

"A tática Black Bloc, nesse sentido, em resposta à agressão da polícia, foi fundamental para provocar e desestabilizar autoridades e governantes."

Horas e horas de exposição de ações covardes contra jovens desarmados foi demais. Se o medo da desordem foi um motivador político poderoso para a reação da polícia, a visão de tamanha injustiça e covardia nas ruas mudou completamente o jogo. A tática surpresa do MPL e o despreparo da PM para lidar com a novidade foram os ingredientes que acenderam o rastilho de pólvora. A tática Black Bloc, nesse sentido, em resposta à agressão da polícia, foi fundamental para provocar e desestabilizar autoridades e governantes. Quando a truculência do estado saiu do armário, foi impossível sustentar a farsa. É como se o pai bêbado e covarde batesse na mãe diante de todos os filhos. Até mesmo aqueles que antes apostavam na autoridade paterna passam a questioná-la.

No *Estadão*, escrevemos bem antes de toda a imprensa um longo perfil tratando da tática Black Bloc e introduzimos o assunto no debate político. Foi uma aposta importante, diante do protagonismo que o grupo iria assumir na cena política nos meses que viriam. Eles foram decisivos no processo que impulsionaria as massas a irem para a rua.

Cenas de covardia policial transmitidas em horário nobre têm potencial destrutivo para as autoridades, como já havia provado o caso da Favela Naval, em Diadema, em 1997, em que PMs foram mostrados no *Jornal Nacional* espancando suspeitos. Na quinta passeata, mais de um milhão de pessoas nas ruas em todo o Brasil. Rio de Janeiro, Belo Horizonte, Brasília, Fortaleza e Salvador aderiram em peso. Em São Paulo, a Secretaria de Segurança Pública tirou a Tropa de Choque do combate à manifestação, que ocorreu passivamente, em clima de festa, com narrativas elogiosas aos manifestantes no fim do *Jornal Nacional.* A epidemia estava em vigor, contagiando pacatos habitantes das cidades e os empurrando para as ruas.

O valor da passagem, no entanto, continuava o mesmo: R$ 3,20. Até que veio o sexto protesto. O adversário já estava grogue, cambaleando, tentando se segurar nas cordas, quando recebeu um golpe certeiro e inesperado. Pela manhã, horas antes do protesto, o prefeito Fernando Haddad havia dito que não abaixaria o valor da passagem de jeito nenhum. Precisou se desdizer no dia seguinte de maneira constrangedora.

Quando o povo saiu na sexta manifestação, parecia que seria mais um dia de festa. Bandeiras e celebrações de cidadania, muita gente na rua, Hino Nacional, gritos de "sou brasileiro com muito orgulho". Os anarquistas e *punks* provocavam aqueles que seguiam por esse lado mais verde-amarelo. "Uh patriota, Uh idiota" era um dos gritos. "Sem vandalismo" também era clamado para esfriar os ânimos. "Sem moralismo" era a resposta dos adeptos da tática Black Bloc. Eu já havia publicado a matéria sobre eles no *Estadão*, com base em observações e conversas, mas fui criticado por identificar no movimento manifestantes que defendiam a destruição do patrimônio como estratégia de ação política. Basicamente, os mais céticos me acusavam de ser um representante da grande imprensa contribuindo para o descrédito do movimento.

Foi quando a noite chegou e os manifestantes se concentraram em frente à Prefeitura. Durante três horas, parte deles quebrou as janelas e pichou as paredes do prédio sem ser importunado pelas autoridades. Lembro quando alguns começaram a subir nos mastros no Viaduto do Chá, como se fossem paus-de-sebo, para queimar as bandeiras da capital, estado e Brasil. Outra frente pichou o Monumento de Paulo Mendes da Rocha na praça do Patriarca. O Teatro Municipal foi inteiro pichado. Lojas foram saqueadas, sem falar em diversas janelas de bancos despedaçadas. Ainda houve uma cena rara. O carro da Rede Record estava pegando fogo, incendiado pelos manifestantes e já consumido pelas chamas. Um jovem mascarado pula em cima da van. Inacreditável. Eu achava que ele iria se queimar. Ele levantou os braços e pulou de lá de cima para se salvar. A atitude suicida lembrou-me duas décadas de história de São Paulo. A ficha caiu. Os surfistas de trem dos anos 1980. Os pichadores de prédio nos anos 1990 e nos dias de hoje. Claro, como não percebi isso antes? Boa parte daquele grupo que estava atuando no quebra-quebra era formada por pichadores, o que confirmei com alguns deles em entrevistas posteriores. No fim da noite, alguns deles ainda foram se manifestar em frente à casa do prefeito Fernando Haddad.

Acordei no dia seguinte imaginando que as três horas de vandalismo iriam surtir efeito contrário aos objetivos do MPL. Mais uma vez me enganei. Na parte da tarde, depois que o prefeito do Rio de Janeiro, Eduardo Paes, cedeu e reduziu as tarifas, Haddad e Geraldo Alckmin concederam entrevista coletiva para anunciar que também reveriam o aumento das tarifas em São Paulo. Nos bastidores, foi espalhado que as ameaças em frente à casa de Haddad pesaram na decisão. Foram capítulos surpreendentes da história, que me fizeram pagar a língua sucessivamente, reforçando uma certeza que formei na profissão. Grandes notícias são quase sempre imprevisíveis: desde o 11 de Setembro nos Estados

Unidos, em 2001, aos ataques do PCC em São Paulo, em 2006, passando pela crise econômica mundial, em 2008, e junho de 2013 no Brasil. Só que depois que a bomba explode, devemos sempre chegar de alma aberta, como um livro em branco, a ser escrito a partir das conversas e observações que acumulamos. Assim como os antropólogos em seus trabalhos etnográficos, nos tornamos observadores passivos em busca da realidade visível e da invisível. Começamos a coletar peças para montar um quebra-cabeça. Em outra frente, conforme as peças eram colhidas, seria preciso reflexão para conectar os fatos, juntando uma peça à outra, para só então conseguir ver a figura por inteiro. A nossa realidade era um quebra-cabeça com infinitas peças.

O ESTADO DE S. PAULO

A10 | Política

O PAÍS NAS RUAS

'Epidemia' de manifestações tem quase 1 protesto por hora e atinge 353 cidades

Movimento ganhou força depois do dia 17, ao monopolizar o noticiário das grandes redes de TV, e auge foi no dia 20, em 150 cidades

VIRAL

6 de Junho

17 de Junho

20 de Junho

26 de Junho

Total

1 milhão

467 mil

1 mil

2,9 mil

R$ 0,20

A partir dessa vitória política retumbante nas ruas, começou uma nova fase das manifestações. O processo de epidemia se espalhou, contagiando pessoas no Brasil inteiro, fato que foi detectado em uma matéria que fizemos a partir de levantamento na internet e nas redes sociais. Entre os dias 6 e 27 de junho de 2013, a população de pelo menos 353 cidades levou sua mensagem para as ruas. Mostravam suas demandas pessoais em cartazes de cartolina. Nas papelarias, o material ficou em falta, tamanha era a procura. Não se deve comparar ao efeito da bola de neve, com o volume crescendo constantemente conforme desce a montanha. Seria mais parecido com o estouro de uma boiada, como se o pequeno furo das comportas da represa, de onde saíam poucas gotas por minuto, de repente danificasse toda estrutura e o rio em segundos inundasse a cidade como se fosse um *tsunami*.

Os jovens do MPL de São Paulo começaram isolados. As primeiras passeatas, nos dias 6 e 8 de junho, ficaram restritas à capital paulista. Foram ganhando destaque nas televisões e redes sociais, e no dia 13, quando a PM desceu o braço nos manifestantes, a massa já era engrossada por pessoas nas ruas de cidades como Porto Alegre, Rio de Janeiro e Natal. A tática Black Bloc foi um coadjuvante peso-pesado. A novidade que fez a diferença. O contágio começa a se intensificar, e no dia 17, o dia da indignação pós-violência policial, já eram vinte e uma cidades com suas ruas tomadas. Depois que os diversos governos reduziram a passagem, o estouro da boiada atropelou quem estava na frente. No dia 20, foram pelo menos 150 cidades brasileiras que registram atos públicos. As demandas começaram a pipocar de acordo com a realidade local. No município de Picos, no Piauí, os protestos foram contra a ação de pistoleiros. A população de Coxim, no Mato Grosso do Sul, foi às ruas para pedir que os buracos do asfalto fossem tampados. A cidade de Figueirão, no mesmo estado, também se rebelou. Se todos os seus 2,9 mil habitantes tivessem protestado, o tamanho seria cem vezes menor do que a concentração presente nas ruas de São Paulo que foi celebrar o evento político.

No total, o dia 20 de junho registrou mais de 1 milhão de pessoas em todo o Brasil. Com o objetivo da redução de passagem alcançado, as demandas se diversificaram, assim como o estilo dos manifestantes. A variedade de cartazes em São Paulo era tamanha, que os próprios integrantes do MPL anunciam sua retirada das manifestações, numa espécie de anticlímax. Integrantes de partidos de esquerda foram expulsos das manifestações. Os petistas foram os mais criticados. Jovens pintaram o rosto de verde-amarelo e cantaram o hino do Brasil, o que revoltou alguns coletivos com influência autonomista e anarquista, que criticam justamente o atual sistema político nacional e o ufanismo nacionalista acrítico. É um papo meio cabeça, bem ao estilo das elucubrações dos estudantes da Faculdade de Filosofia, Letras e Ciências Humanas da USP. Um mês antes, eu daria risadas respeitosas do que eles falavam, imaginando que se tratava de certa ingenuidade juvenil. No dia 20, na avenida Paulista, vendo a multidão em polvorosa, percebia que o babaca era eu.

A qualidade de nossa democracia estava sendo questionada, como continua sendo até hoje. E as pedradas vieram de todos os cantos. Tinha a patricinha, o *skin head*, o *hippie*, o revolucionário de esquerda e o de direita, os coletivos, integrantes de partidos de diferentes espectros. O fato político mais relevante, contudo, na minha interpretação, estava consolidado: PT e PSDB, ou aquele mundo até então dividido entre petistas e antipetistas, que até junho polarizavam discussões intolerantes dentro e fora das redes sociais, havia sido redesenhado. Ambos foram colocados do mesmo lado. Partidos tolerantes e participantes dos esquemas milionários que transformaram a política numa indústria de coletar dinheiro para as disputas eleitorais, finalmente eles estavam sendo cobrados. A presidente Dilma Rousseff também tremeu nas bases. Inventou algumas cascatas com a ajuda dos marqueteiros e as apresentou em rede nacional. Acabou tendo certo resultado em curto prazo. A intensidade das ações diminuiria aos poucos.

Só que, ao mesmo tempo, alguma coisa havia se transformado. Algo resumido por uma das mais belas frases dos protestos, que já havia rodado o mundo em outros levantes: "Não é só uma crise. O problema é que eu não te amo mais!" Os avanços democráticos da Nova República são inegáveis. Só que era preciso mais. A maquiagem e as plásticas que tentavam passar a imagem de um país a caminho do primeiro-mundo não enganavam mais ninguém.

Era preciso encarar as heranças de nossos 500 anos de história e os conflitos continuaram vindo à tona. O ódio se tornou uma das linguagens usadas, uma espécie de desabafo que tentava esfregar as frustrações na cara de todo mundo.

A24 Metrópole

O ESTADO DE S. PAULO

O PAÍS NAS RUAS

FESTA E FÚRIA

AS TRÊS FACES DO MOVIMENTO NAS RUAS

Pichadores foram protagonistas no quebra-quebra do centro

Anarquistas urbanos integram a tropa de choque responsável por violentos protestos pela redução da tarifa

Robesp

CAPÍTULO 6.

NA COPA DO MUNDO, A CAIXA DE FÓSFORO ESTAVA USADA

"Ações emocionais e impensadas, que acabaram se esvaziando com o tempo."

Durante a Copa das Confederações e nos meses que se seguiram, o ambiente nas ruas se tencionou. Bombas nas ruas de Fortaleza, mortes no viaduto de Belo Horizonte, fogo no Itamaraty, ondas negras pelas ruas do Rio. Eu conversei com um dos adeptos do Black Bloc em São Paulo, perguntando o óbvio. "Do que adianta se manifestar agora? Os investimentos já foram feitos, assim como os gastos em estádios? Não é tarde para reclamar?" Achei interessante a resposta: "Não se trata apenas de dinheiro. O manifesto é importante para mudar a imagem do Brasil no consciente e no inconsciente coletivo", me respondeu o anarquista de vinte anos. Não estou dizendo que concordo com o que ele me disse. Mas o fato é que havia um discurso por trás dessas ações diretas e do quebra-quebra. Por isso grupos de jovens se mobilizaram e engrossaram as fileiras. Não se tratava de vândalos agindo emocionalmente. Mas de jovens que depredavam patrimônio público e privado movidos por discussões que haviam sido debatidas entre eles. Pode-se dizer que é um tipo de atitude fascista por usar a violência e fechar as portas para o diálogo. Que as máscaras dificultam o controle entre os próprios colegas. Que o movimento abre espaço para narcisistas malucos e para a criminalização dos movimentos sociais. Concordo. Só que tratá-los como simples baderneiros, atores sem ideias e convicções, é um erro factual.

1. Grupo encampou a campanha 'Cadê Amarildo?', em SP, agregando críticas aos governadores paulista e fluminense

2. No Rio, Sérgio Cabral está entre os alvos do movimento

3. Grupo foi mais notado durante os protestos na Copa das Confederações

4. Nas ruas de Salvador, a bandeira anarquista; e, no 'curtir' da internet, coquetel molotov

Black Blocs já se articulam em 23 Estados do País

Pela internet, eles começam a promover um 'badernaço' para o 7 de Setembro, com o uso de violência como estratégia política

'Badernaço'

1.325

PSTU foi primeiro partido a criticá-los abertamente

Depois de julho, a ação direta se destacou como método de ação para chamar a atenção das causas em disputa nas ruas. Em diferentes capitais do Brasil, a tática Black Bloc passou a protagonizar os protestos: experimentos científicos em cachorros, demarcações de terras indígenas, desaparecimento de Amarildo no Rio de Janeiro, passando por intensa campanha que desestabilizou o governador fluminense Sérgio Cabral, e a greve dos professores, tudo entrou no radar do grupo. Eles eram a tropa de choque dos protestos e estavam gostando dos holofotes.

Jovens da periferia, de classe média baixa, estudantes de universidades privadas, que se esforçaram para trilhar uma trajetória de estudo e trabalho, mas que continuaram sendo violentados e humilhados pela sociedade. Os adeptos da tática Black Bloc que passaram a engrossar os protestos queriam colocar seu ódio nas ruas. Mais do que ligada a uma estratégia política como a do MPL, que provocou a queda das tarifas de ônibus, a segunda geração dos adeptos da tática Black Bloc parecia, acima de tudo, interessada em apavorar o sistema. Ações emocionais e impensadas, que acabaram se esvaziando com o tempo por revelar uma violência sem foco político, expulsaram muita gente das ruas nos meses que viriam. A explosão de ódio não era inédita, mas uma reedição de manifestações ocorridas em outros tempos, com meios diversos, protagonizadas por outros grupos.

Só que os palitos de fósforo eram acesos antes do tempo, ao longo dos meses, como preparação para a grande fogueira que seria a Copa do Mundo. Nesse meio-tempo, contudo, a imagem do grupo foi ficando mais e mais queimada. A morte de um cinegrafista em fevereiro de 2014 criou repulsa ao exagero nas manifestações. A Polícia Militar continuou com seu despreparo e excessos. As ruas tornaram-se perigosas, lugar de briga e não de debates e discussões. Com a proximidade da Copa, os coletivos passaram a priorizar a política em seus protestos. Grupos ligados aos movimentos sociais como trabalhadores ambulantes, sem-tetos, desapropriados dos estádios, entre outros, alguns filiados a partidos de esquerda, acabaram se estranhando com as marchas protagonizadas pelos adeptos do Black Bloc.

O ESTADO DE S. PAULO — Metrópole A27

Raiva une 2ª geração de black blocs de São Paulo

Grupo heterogêneo reúne de professor a ex-presidiário que aprenderam primeiras lições com Passe Livre, em junho, em defesa da destruição

Mascarado. Ativista diz que destrói para reconstruir

O governo e as forças de segurança, aliás, aproveitavam os excessos ocorridos nos protestos para criminalizar a ação dos manifestantes. Essa violência expressionista, se no começo surpreendeu, ficou cada vez mais monótona em uma sociedade já marcada pela violência cotidiana. A tática se revelou prejudicial ao apoio popular. Durante a Copa do Mundo, esse desgaste se tornou evidente. Na hora de a grande fogueira ser acesa, todos os fósforos já haviam sido usados. Mesmo assim, o Movimento Contra a Copa fez barulho e continuou ajudando a revelar alguns dos gargalos do sistema de segurança pública e de Justiça no Brasil.

A prisão de dois jovens durante a Copa, no dia 23 de junho em São Paulo, foi um desses momentos reveladores. Hideki, que até agosto permanecia preso, foi vítima de arbitrariedades que afetam milhares de pobres diariamente na cidade. Ele foi injustamente acusado de ser um dos líderes Black Bloc — que diga-se de passagem —, não tem lideranças. Estudante e funcionário da USP, Hideki sempre foi figurinha presente nos protestos, mantendo atitude bem-humorada e leve. Policiais civis encarregados de investigar o grupo o prenderam em flagrante no metrô. Diversas testemunhas viram quando sua mochila foi revistada, sem que fosse encontrado qualquer objeto que o incriminasse. Hideki pediu para ser filmado. Padre Júlio Lancellotti, vigário do Povo da Rua, que estava ao lado, testemunhou a favor do jovem. Quando chegou à Delegacia Especial de Investigações Criminais (Deic), Hideki afirmou ter levado duas sessões de soco.

Apesar de todo esse contexto, a acusação da polícia foi suficiente para mantê-lo preso. Um artefato prateado, suposto explosivo, que apareceu em sua bolsa, que surgiu apenas depois de duas revistas, pesou como prova para sua acusação. O Ministério Público Estadual pediu seu indiciamento e foi acatado pela Justiça.

Os adeptos do Black Bloc tinham provocado essa situação limite. A população queria culpados e as forças de segurança pública encontraram bodes expiatórios. Por outro lado, a engrenagem da indústria de aprisionamento em massa ficava mais transparente. O Black Bloc acabou ajudando a direcionar os holofotes para o assunto que, quando atinge somente pobres suspeitos de crimes comuns, é esquecido e relegado ao completo desinteresse.

Eu não sou mais o mesmo jornalista depois de junho. Acho que o choque foi fundo, ainda mais nesse momento em que a minha profissão passa por tantas transformações estruturais. O MPL e os Black Blocs souberam lidar com as incompetências e os gargalos da imprensa. Uma armadilha na qual caímos e de onde não conseguimos escapar. Damos a notícia quando o circo pega fogo. Passeatas sem confusão viram pequenas notas, a não ser que parem grandes avenidas ou se a cidade sai prejudicada. Os movimentos sociais compreenderam essa lógica para ganhar espaço, assim como os adeptos da tática. Ao mesmo tempo em que divulgam as notícias de acordo com o tamanho do caos a que estão associadas, os jornais se escandalizam em nome da defesa da ordem. O que me parece contraditório. O meu colega Daniel Piza tinha uma frase interessante a respeito dessa lógica estúpida no cotidiano das redações. Ele dizia que "o jornalista cria o monstro, depois é engolido por ele". Talvez um dos grandes méritos do MPL e da ação direta nas jornadas de junho foi usar a imprensa e seus vícios a favor dos próprios objetivos políticos. O monstro devorou a imprensa.

É interessante olhar para trás, um ano depois, para tentar juntar as peças dessa longa reportagem que parece não acabar. Ainda estamos ruminando sobre o que ocorreu em junho. Mas as ruas já nos mostraram muita coisa sobre nós mesmos. Os conflitos precisam ser escancarados. As sombras onde a gente buscaria esconder os nossos podres precisam ser iluminadas. A violência e o quebra-quebra revelam limites. É preciso criatividade para continuar mobilizando para as causas justas. A fragilidade de nossas instituições ficou patente. Precisamos de reformas para aprimorar nossa democracia. As cidades precisam melhorar sua qualidade de vida. Não aguentamos mais *shopping center*. Devemos aprender a conviver com as diferenças, abandonar os carros, andar de bicicleta. Junho me ensinou que, mesmo depois dos quarenta, não é possível se acomodar quando nos dirigimos ladeira abaixo. Conviver com novas ideias e novas gerações inconformadas foi revigorante. Salve Mano Brown, MPL, Criolo e quem mais estiver disposto a compreender a alma atormentada de São Paulo, para transformá-la. São Paulo precisa de mais amor, precisa de equilíbrio, se tornar uma cidade amadurecida pela sua história, o que passa pelo autocontrole das explosões de violência. Violência pode provocar mudanças, mas no final acaba sendo retrógrada e conservadora. E assim vimos em um ano a ascensão fulminante da tática Black Bloc. Tão avassaladora como seu esvaziamento e sua queda.

© Eli Simioni

Mascarados acreditavam que poderiam atrapalhar a realização da Copa do Mundo

PARTE 3.

OS MANIFESTANTES – POR WILLIAN NOVAES

Normal

OSOCIALIS
us.twitcas

Ao vivo

CAPÍTULO 1. METAMORFOSE RADICAL

"Sem as máscaras não matamos nem uma barata."

Num ano *funk, rolezinhos*, *pegação* e uma angústia gigantesca dentro do peito. No outro, a afirmação, o descobrimento de um novo mundo e uma sequência acelerada de acontecimentos num ritmo alucinante. Essa foi a transformação vivida por um dos principais radicais do movimento Black Bloc, que aterrorizaram os políticos brasileiros com protestos marcados por "ações diretas" e pela estratégia de convocar novos companheiros para a hora de "morfar" nos últimos meses. Podemos dizer que está sendo assim a vida do jovem Cris (nome fictício), de vinte e um anos, morador de uma das favelas mais violentas da Brasilândia, na periferia da zona Norte da capital paulista.

Cris passa despercebido por qualquer lugar por onde circula. Em nosso encontro, não tinha ideia de quem chegaria para falar sobre o movimento ou tática como eles preferem chamar, os atos midiáticos Black Blocs. A minha expectativa era encontrar um garoto, no mínimo bombado, forte, com ideais extremistas, nervoso, acelerado, desconfiado. Esqueça tudo isso. Ele é, como acabei de escrever acima, um jovem normal. O mais impactante é a sua calma, o seu semblante de tranquilidade, o óculos que precisa ser arrumado de tempos em tempos para corrigir a miopia, o cabelo bem ajeitado e a sua fragilidade física. Os braços lânguidos, as pernas finas e uma mochila que quase faz parte do seu corpo compõe o visual de um dos principais quadros da tática Black Bloc na cidade de São Paulo.

"Sem as máscaras não matamos nem uma barata." A frase é um bom resumo dos primeiros cinco minutos de conversa de um total de três horas num café — um dos símbolos do capitalismo, que é um dos "seus principais" inimigos na teoria — localizado na avenida Paulista.

Cris não teve medo diante das perguntas ou impôs qualquer restrição de tema a ser abordado na entrevista, apenas o acordo de manter o seu nome em sigilo. Esse tem sido o seu lema desde 27 de janeiro de 2013. O garoto magro estava angustiado naquela manhã triste para todo o país — na noite anterior, 242 jovens morreram asfixiados no incêndio da boate Kiss, em Santa Maria, no interior do Rio Grande do Sul. Diante da tragédia, ele resolveu revelar para a sua mãe, "numa conversa franca", que é homossexual. "No primeiro momento ela não aceitou bem, mas depois não tinha muito que fazer", resume friamente.

Com a saída do armário, por enquanto apenas dentro de casa. "Na quebrada, a coisa é diferente, mas não tenho porque sair por aí falando que sou *gay*", a sua vida mudou radicalmente. Dos amigos da favela, ele se distanciou. Em março, a afirmação da opção sexual, ao participar de movimentos de defesa dos homossexuais.

Numa manobra da bancada evangélica e com o descuido do PT, na Câmara dos Deputados, o partido perdeu a presidência da Comissão dos Direitos Humanos e Minorias para o então praticamente desconhecido pastor Marco Feliciano, do PSC. O anônimo deputado evangélico ganhou popularidade pelos seus posicionamentos atrasados e preconceituosos contra os homossexuais. Por outro lado, iniciou-se um movimento nas redes sociais, com marchas pelo país, chamado "Fora Feliciano". Numa dessas manifestações, o jovem da Brasilândia que até então apenas ouvia *funk*, saía com os amigos para beber e fumar narguilé nas praças e festinhas da zona Norte paulista, resolveu seguir até a avenida Paulista sozinho. Subiu no ônibus e depois de quarenta minutos desembarcou no centro para o primeiro de inúmeros protestos que viriam pela frente.

Ainda tímido, acompanhou a marcha. Gostou. Começou a se sentir incluído num novo grupo. Nesse período, diversas manifestações contra o pastor Feliciano foram realizadas pelo país.

"Naquele momento comecei a entender que era possível protestar contra algo que não aprovamos. O 'Fora Feliciano' não deu muitos resultados, mas plantou uma semente", descreve. Por outro lado, não curtiu o formato dos atos com carros de som, partidos políticos, hierarquização e sempre o mesmo discurso da pacificação. Sentiu-se frustrado ao perceber que não teria um papel de protagonista na atividade e dificilmente os questionamentos seriam levados adiante.

Papagaio da mídia

Outra frustração dos primeiros protestos foi descobrir que os jornais e programas de televisão não noticiaram as passeatas das quais ele tinha acabado de participar. Cris começou a recordar das aulas de filosofia no ensino médio. A revolta, as falas do professor sobre distribuição de renda, violência do estado contra os pobres e negros, como ele. A pouca participação política, a falta de direitos básicos, como transporte, emprego e saneamento básico, no seu dia a dia e no cotidiano de inúmeros vizinhos.

"Percebi que era mais um papagaio da mídia e não queria mais isso para mim", relembra. No início de 2013, começou a cursar Direito numa universidade particular, financiado por uma bolsa integral do Prouni. "Sem esse programa não teria a menor condição de estudar", conta.

As aulas começaram e alguns sonhos afloraram. Nos primeiros meses do curso, que conciliava com o trabalho de operador de *telemarketing*, começou a se enturmar.

Quatro meses depois das manifestações "Fora Feliciano", a Prefeitura de São Paulo decidiu aumentar o preço das passagens dos ônibus para R$ 3,20. Outro protagonista aparece no cenário político brasileiro, o Movimento Passe Livre, mais conhecido como MPL.

Os garotos levaram milhares de pessoas para as ruas da capital para protestar contra o aumento. A Polícia Militar agiu contra os manifestantes com uma força desproporcional, à base de bombas de gás lacrimogênio, balas de borracha e violência.

Esse foi o combustível para o estudante de Direito relembrar das arbitrariedades que sofreu na própria pele, dos inúmeros amigos presos e de outros mortos em alegados confrontos com a PM. Nos primeiros atos do MPL, acompanhou na mesma condição que outros milhares de jovens que resolveram sair para protestar pelas ruas da cidade. "Um policial já me deu um tapa na cara e fez amigos darem um selinho a troco de nada, fora os inúmeros 'enquadrões' (batida policial) sem qualquer motivo que sempre tomamos."

Na terceira passeata, Cris encontrou jovens de preto e mascarados. Ficou com medo. Não teve coragem de chegar perto no início. Foi para casa com dúvidas sobre o que aqueles caras representavam. Pesquisou na internet durante a madrugada. Acordou querendo fazer parte daquilo.

Black Bloc na veia

A violência explícita o encantou, queria quebrar, provocar terror. Esse foi o único grito que encontrou de imediato. "A população dá mais valor para o bem material do que para uma pessoa. Então essa é a nossa tática, provocar o debate por meio da quebradeira."

Para fazer parte da tática Black Bloc, começou a ler sobre o assunto. Primeiro se identificou com os *punks*, na sequência vieram os grandes filósofos, como Proudhon e Emma Goldman. "Minha mãe não entendeu nada, eu lendo no computador ou com livros. Até tirou um sarro."

Cris demonstra frieza absoluta na vida amorosa. Diz que nunca se apaixonou, nunca namorou e não sente falta de um companheiro fixo. Apresenta a mesma frieza na linha de frente das manifestações, ao encarar a Tropa de Choque e discutir com PMs de alta patente sem o menor constrangimento.

O garoto magro e comum, na hora que coloca a máscara ou "morfa" (*morfar* é a palavra que os heróis da série japonesa Power Ranger dizem na hora da transformação em super-heróis) pensa que se transforma num ninja. "As pessoas nos olham com diferença, sentem medo e respeitam a gente."

Esse, o medo, é um dos pontos principais, para entender o protagonismo que esses jovens conquistaram nos últimos meses. A espetacularização das manifestações na mídia e as ações diretas tornaram muito maior do que são os não mais do que setenta jovens paulistanos.

Por meio dessa súbita condição de um dos atores principais das manifestações, Cris revela a falta de preparo da PM paulista em não saber lidar com algo novo. Os BBs não têm um líder, podemos dizer que, nas ações diretas, existem células de afinidades, mas que não passam de poucas pessoas, não chegam a vinte mascarados.

"O Choque parece que não foi criado para pensar, é por isso que na hora das manifestações sabemos a hora de xingar, colocar o dedo na cara deles e até cuspir. Enfim, provocar", explica.

Essas são algumas de suas principais características: a ironia, o questionamento e a coragem. Ele confirma que a proposta do movimento é trazer à tona os problemas da sociedade e as mazelas do estado.

As barricadas armadas nas principais avenidas de São Paulo e os confrontos com a PM são os principais cartões de visita para a imprensa nacional e internacional. Na hora do embate, o jovem magro e fraco não mede forças, joga pedras, taca fogo nas lixeiras, xinga e quebra vidraças de bancos privados ou públicos, e não se intimida. "A violência me excita." Entre os BBs, a primeira vidraça ou ação direta ninguém esquece. Para Cris foi necessário jogar três vezes uma pedra para estilhaçar a frente de um banco em plena avenida Rebouças. "Eu não sabia mesmo o que fazer, apesar de estar junto com vários praticantes, foi meio frustrante, depois entendi a lógica." Ele refuta o fato de serem tachados como assassinos, e frisa que não tem intenção de matar ninguém. "Se a gente matar um PM, sabemos que o nosso movimento acaba na mesma hora e vai haver uma caça às bruxas. A população precisa entender que nós queremos melhorias para todos, queremos provocar."

Em fevereiro, no Rio de Janeiro, um cinegrafista da Rede Bandeirantes foi a primeira vítima fatal dos confrontos entre BBs e PMs. O jovem diz que sabe que ele ou um amigo pode ser a próxima vítima. "Estamos num confronto e sabemos até onde isso pode ir", revela. O verdadeiro medo é ser preso e ninguém saber. "Sei muito bem que pode acontecer, afinal sou pobre e os meus direitos não são tão válidos, como alguém branco e de poder aquisitivo maior."

Partidos políticos sob mira

Cris, politicamente, não está ligado a nenhum partido. O Partido dos Trabalhadores seria o mais próximo. "Mas o Lula era um grande nome e nos traiu, e a Dilma, hoje está junto com o sistema que a torturou. Não conseguimos entender."

Já os tucanos têm uma avalição um pouco pior. Eles são repudiados e odiados. "Num certo momento, a direita quis tomar proveito das nossas ações, não deu muito certo e eles nunca mais apareceram."

Sobre o questionamento se o Black Bloc é financiado pela Direita ou pela Esquerda, não houve tempo para terminar a frase e a resposta veio direta. "Financiar quem? Não existe a menor chance. Nós somos contra todos os políticos, como vou fazer o que faço para um sujeito chamado Aécio Neves? Não tem lógica." Ele acredita que a possível condição de pertencer a alguma entidade tiraria o foco das reivindicações do movimento.

O voto na próxima eleição é nulo. Os BBs perceberam que no meio das principais ações passaram a ser usados como massa de manobra contra o governo federal. "O nosso inimigo é o estado, que não nos representa. Tanto Alckmin, Haddad, Serra estão na condição de adversários."

Internet, um terreno de combate

Cris perdeu o emprego de operador de *telemarketing* no segundo semestre de 2013, no meio das manifestações; aproveitou o seguro--desemprego e passou a exercer outra função na tática Black Bloc. "Podemos dizer que o governo é um das principais financiadores do BB, o seguro-desemprego me salvou", ironiza. Criou uma das principais páginas do grupo na internet e em três meses de trabalho *on-line* conseguiu unir muito mais que os cerca de 70 mascarados que foram para as ruas nos últimos meses. Tem uma multidão de 25 mil seguidores, com oito horas diárias de trabalho. "O problema é que nas redes sociais todos são revolucionários mas, efetivamente, nas ruas somos poucos."

No dia 25 de janeiro, aconteceu o grande ato que contou com a utilização da ferramenta criada pelo jovem para a divulgação. A proposta era questionar o valor gasto para a realização da Copa do Mundo. Na avaliação dele, foi um sucesso, houve ação direta. Mas os meios utilizados pelos garotos, e principalmente por Cris, mostraram a precariedade ou, melhor definindo, a simplicidade tecnológica com que contam para organizar os atos. Não existe um superaparato digital, como grande parte da população imagina, inclusive as inteligências da PM e do governo federal. Os integrantes da tática Black Bloc se comunicam via mensagens por celular, não existe um núcleo central de produção de conteúdo, com funções distribuídas e alto investimento. Com os *smartphones* pré-pagos, Cris, com a ajuda de outros poucos BBs, alimenta a página e convoca reuniões de dentro do trem, do ônibus ou nas folgas do trabalho ou das aulas. "O que fazemos pode ser considerado um fenômeno pela simplicidade e, por outro lado, o retorno, como espetacularização das nossas ações. Mas um dia as polícias vão entender o nosso papel e quem sabe, não passam a atuar ao nosso lado", sonha.

A utopia é um dos principais incentivadores. Cris revela que os amigos da favela falam para ele parar com isso. "Acham que eu sou meio doido, mas muitos não acreditam que eu faço as ações diretas." Também sonha com o dia em que todos os amigos da periferia irão para as ruas se manifestarem ou partir para ações diretas. "Aí vamos conseguir mudar este país de verdade." Mas, logo na sequência, joga um balde de água fria nas próprias expectativas: "Sei que isso nunca vai acontecer".

Para ele, os BBs são um fenômeno efêmero, que marcará uma época e deve sumir do mapa ainda este ano. "Vimos que o estado é fraco estrategicamente, mas agora a coisa começou a apertar, então é hora de sumir e, quem sabe, voltar ao cenário como um advogado dos direitos humanos."

CAPÍTULO 2.

VIOLÊNCIA GERA VIOLÊNCIA

"Quando a gente vê os PMs daquele jeito, atirando para todos os lados, o sangue ferve e vamos para cima mesmo."

Sangue nos olhos. Revolta. Coragem e pouco juízo. Black tem vinte e dois anos. Forte. Negro. Boa formação escolar. Estudante de direito. Morador do centro da cidade de São Paulo. Estagiário, viciado em literatura fantástica, *videogames* e RPG. Nos confrontos contra a PM foi linha de frente em vários, na verdade em quase todas as batalhas ocorridas desde julho de 2013. Ele puxa o confronto. Segura a faixa, como eles definem quem não tem medo e sente prazer em encarar centenas de homens da PM paulista apenas com pedras, coquetéis molotov e o que tiver à disposição.

O garoto que chega para a entrevista é muito diferente daquele que vimos num confronto que ocorreu duas semanas antes, na zona Leste da capital. Tímido, extremamente educado e com sorriso discreto. Ou, muito menos, um outro rapaz de terno e gravata que participava de um ato realizado na praça Roosevelt para pedir a liberdade de outros dois jovens detidos pela Polícia Civil.

Quem se propôs a acompanhar as ações diretas não teve como opção participar como mero espectador dos embates. Os tiros de borracha passavam perto das nossas cabeças, conseguíamos ouvir o barulho sinistro das balas e sentir a pressão das bombas de efeito moral, o arder nos olhos e o efeito asfixiante do gás lacrimogênio. A manifestação ocorrida no dia da abertura da Copa do Mundo culminou com um intenso confronto com a PM. As cenas de pessoas feridas nas imediações da estação Carrão do metrô, como as jornalistas da CNN que cobriam o protesto, ganharam as páginas de jornais e *sites* do mundo. Foi possível registrar a imagem do policial militar que arremessou a bomba que feriu as jornalistas.

Black foi um dos principais atores dos embates. O seu biotipo chama a atenção entre as dezenas de manifestantes. É um dos poucos negros mascarados. O rosto coberto, com os olhos imensos e vermelhos por causa das bombas de gás, potencializa as cenas de terror observadas.

Ele não se intimida diante da Tropa de Choque, como está agora à nossa frente, numa lanchonete na zona Sul da cidade. Aqui, está tímido, não pelas perguntas que obviamente virão, mas sim por nunca ter entrado no lugar, possivelmente frequentado por coxinhas, como ele e todos os BBs se referem aos *playboys* ou jovens de classe média e média alta, os antigos mauricinhos e patricinhas. "Você deve imaginar, sou estagiário e não tenho dinheiro para comer neste lugar", conta.

A vergonha fica para trás após cinco minutos de conversa. Nas ações diretas ou nas batalhas com a PM, essas muito longe das disputas de RPG ou Xbox, com seus magos, mestre e vilões, o estagiário dá lugar a Black, jovem violento, contestador e "de saco cheio" da violência policial que sofre, por causa da cor da pele, desde a adolescência.

"Sou preto, como você vê, preto de verdade (risos), morando aqui neste lugar e andando por essas ruas desde os quinze anos e, incrivelmente, sou parado de duas a três vezes por mês pela Polícia Militar para a famosa averiguação. No começo sentia vergonha, agora é raiva, e sei bem como descontar."

A tensão é grande quando questionado sobre os motivos que o levaram a participar das manifestações e da tática BB. "Odeio a PM e essa é a chance que tenho de descontar, não só por mim, mas por milhares de negros e pobres que são mortos diariamente e todos fingem que não acontece nada", frisa.

Black usa a tática como vingança social, se assim podemos chamar. Ele não quebra banco, não destrói patrimônio público, não vira carro de reportagem. Ele tem foco. "Quando a gente vê os PMs daquele jeito, atirando para todos os lados, o sangue ferve e vamos para cima mesmo."

Ele divide a linha de frente com no máximo dez jovens. Todos andam juntos e formaram uma nova "família". Usam os aplicativos de trocas de mensagens e redes sociais para se comunicarem durante todo o dia.

Para fazer a PM recuar e conseguir que os confrontos tenham a duração de horas é preciso força física e um pouco de insanidade mental. Esses jovens não têm qualquer preparo de guerrilha, ou formação militar, usam a filosofia do "encarar de frente" e "muita atitude" ou "falta de noção". "Com as máscaras, as pessoas não conhecem a gente. Parece que cria um escudo. Mas, sem atitude, nada disso estaria acontecendo", afirma Black.

Por outro lado, para todo mundo, os BBs conseguiram mostrar a força desproporcional que a PM paulista utilizou no dia da abertura da Copa do Mundo. Cerca de 400 policiais militares levaram mais de quatro horas para acabar com um protesto que não contava sequer com cinquenta manifestantes adeptos da tática. As imagens da suposta batalha na zona Leste alcançaram o mundo. "Ao, mais uma vez, ferir jornalistas, a PM mostrou a sua verdadeira cara. O que mais me incomoda é por que ninguém na imprensa fala das 50 mil pessoas que foram mortas no último ano?", crítica.

Black foi um dos poucos que não falaram em teoria do anarquismo ou citaram filósofos. Mas fez questão de lembrar que sua família ainda tem em mãos a carta de alforria. Descendente de escravos que vieram de Camarões para trabalhar no interior de São Paulo, o jovem, como muitos, ainda sofre com o racismo e pela exclusão social que os negros passam.

Ele mesmo diz que "tinha tudo" para cair no mundo do crime e das drogas, se seguisse o exemplo de parte dos primos e amigos — já perdeu muitos conhecidos para a violência. Ou, ainda, pela influência do pai, que abandonou a mãe quando ele era pequeno e hoje está preso em uma penitenciária no interior de São Paulo.

"Nunca fiz nada de errado e, ainda hoje, acredito que não esteja fazendo. Quero o melhor para mim e para os que sofreram calados durante todo esse tempo. É preciso mostrar que a violência policial no Brasil está descontrolada", argumenta.

Formação com elite paulistana

Black morou em um cortiço na região da praça da Sé até os quinze anos. Afirma que nunca sentiu vergonha pela sua condição social, e, como é filho único, teve que aprender a se virar desde cedo. A mãe saía para trabalhar como empregada doméstica, e ele era responsável por esquentar a comida, se vestir e ir para a escola. O rapaz de andar firme economiza R$ 500 por mês, dos R$ 1.200 que recebe. Ajuda a mãe e se diverte com amigos em passeios e bares.

Uma bolsa de estudo, conseguida pelos patrões da mãe, pode ter sido o motivo para o seu caminho ser mais tranquilo. Foi um dos raros alunos negros no ensino básico num dos colégios mais tradicionais da elite paulistana. No ensino médio conseguiu renovar a bolsa e terminou o estudo. Nunca deu trabalho para a mãe. Sempre tirou notas na média. Até o início das manifestações era um garoto comum, pensava em se formar e exercer a carreira de advogado.

Para entrar nos quadros da tática fez uma análise das manifestações que começou a frequentar, como a maioria dos colegas da faculdade. Queria apenas protestar contra o sistema, passou a sentir mais uma vez a violência policial na pele. Num ato levou dois tiros de borracha e em outro foi detido para averiguação por estar acompanhando o trabalho dos advogados ativistas. No final não foi indiciado ou assinou qualquer documento. "Quando comecei a ver a mídia falar muito mal dos Black Blocs, fui no sentido contrário, e percebi quem estava mentindo na história."

Lembra que, até uma jornalista da *Folha de S.Paulo* ser ferida, toda a imprensa apoiava a Polícia Militar para conter os manifestantes. "Para entender melhor, coloquei a máscara. Neste momento, compreendi a nossa força", explica.

Neste primeiro ano da tática, ele acredita que "fizeram o possível". Agora estão no segundo passo que seria ter pautas concretas de mudanças políticas e da sociedade. Reafirma que até agora o papel dos BBs foi chamar a atenção e provocar o estado, mesmo com vara curta. "Precisamos amadurecer politicamente, porque a PM não vai continuar com esse serviço idiota de inteligência por muito tempo."

Ele se refere aos P2, ou seja, os policiais infiltrados que o comando da PM acredita estarem fazendo um papel relevante. "Na boa, às vezes a gente acha que eles são imbecis, todo mundo sabe que quando aparece um cara mais velho de *blazer* e boné no meio da gente é PM. Acredito que eles fazem isso de propósito ou é muita incompetência mesmo", disse rindo.

O próximo passo dos adeptos da tática BB talvez seja deixar as máscaras para trás e passar a fazer parte dos movimentos, como a FIP (Frente Independente Popular). "Você não é Black Bloc — talvez eu seja black (ri) —, mas sim, pertence a uma tática do momento. Eu estou parando, somos poucos", revela.

Black não acredita na influência dos partidos políticos sobre os jovens da tática. "Se tiver, está muito escondida e bem quietinha. Porque eu conheço bem onde estou pisando e tenho certeza que não estou sendo usado por ninguém." Se considera a esquerda, ideologicamente: "Não poderia ser diferente. Preto e pobre gostar de Aécio não dá, só poderia ser na brincadeira". Mas o PT também não o representa mais. Os mais radicais, como o PSOL e o PSTU, muito menos. Talvez seja esse vazio deixado pelos partidos que está distanciando os jovens da política.

PRESS

CAPÍTULO 3.
BARÃO REVOLUCIONÁRIO

"O dinheiro que o Bradesco libera é o mesmo que compra martelos para quebrar as suas vidraças."

O que dizer de um rapaz de trinta e três anos, nascido em berço de ouro, dono de seis negócios diferentes, como um restaurante da moda e lojas de sapatos, com investimentos no mercado financeiro, anarquista, de família quatrocentona e adepto da tática Black Bloc? Apenas o calor dos trópicos para explicar tais contradições.

Barão tem cara e jeito de *bon-vivant*, fuma sem parar e fala na mesma intensidade, inclusive em seis línguas distintas. Nasceu no seio da elite paulistana e ainda vive na mesma casa. Num dos endereços mais exclusivos da capital paulista.

Não gosta de ser chamado de burguês, logo corrige o título da suposta nobreza para aristocrata. "Afinal, minha família tem ascendência da índia Bartira e da família Ortiz espanhola. Se é para provocar, provoque no tom certo", avisa.

É uma figura de bom papo, grande e forte, com tatuagens espalhadas pelo corpo. Agnóstico, mas com um ditado de Santo Agostinho cravado em latim no peito. Apesar da riqueza, na sua rotina não existe a palavra ostentação, "tenho apenas um luxo". Não usa relógio, não tem carro, o seu celular é um modelo bem velho.

Por outro lado, é neurótico e até um pouco paranoico com segurança e mania de perseguição. Desligou e tirou a bateria do celular para falar sobre a sua participação na tática e revelar como se sente, sendo um filhote que não se adaptou ao seu próprio ninho de plumas de ganso.

Um dia após a entrevista, entrou em surto e apenas se acalmou quando foi até a sede da editora para ver que era verdadeira a produção deste livro que você está lendo agora. "Estou sem dormir desde o nosso encontro, enfim, a editora existe mesmo e pode publicar tudo o que falei." Então tá, o seu pedido é quase uma ordem. Bem-vindo ao mundo diferenciado de Barão, uma ovelha desgarrada dos quatrocentões paulistanos.

O *bon-vivant* cresceu e estudou nos colégios mais exclusivos da cidade, foi convidado a se retirar de uns e aceitos — obrigatoriamente — em outros. Filho único, perdeu a mãe aos doze anos. Nunca se deu bem com o pai. Atualmente se suportam, mas os confrontos ainda existem. "Ele (pai) é escroto demais, tipo daqueles que tratam mal os garçons, empregados. Eu fico puto da vida e parto para ignorância", resume.

Barão, como um bom *playboy*, já foi esquiar em Aspen, morou na Inglaterra, Nova Zelândia e Espanha. Visitava as fazendas dos amigos de infância de helicóptero, com seguranças ao redor. Mas nada disso deixa o rapaz calmo. "Hoje eu fui excluído do meu grupo mais próximo, ninguém quer ter um Black Bloc na mesa de jantar, despejando na cara deles as minhas ideias e verdades", diz.

Na tática está mais para apoio do que para linha de frente. Não usa máscara e não quebra vidros ou destrói patrimônio público. Seu papel é dialogar com a PM, ajudar os BBs quando necessário, dar apoio logístico, abastecer os canais de informação com transmissões ao vivo, como Mídia Ninja, explicar a ideologia do movimento e financiar alguns mascarados. Não na compra de aparelhos modernos de destruição, mas sim em comida e até instrumentos musicais para os jovens que decidiram ocupar a frente da Assembleia Legislativa ou o Palácio dos Bandeirantes, sede do governo estadual. Calcula que gastou no último ano cerca de R$ 40 mil, com a filantropia revolucionária.

Todos os seus negócios estão indo bem, e não tem dinheiro aplicado em banco. Mas usa os créditos que os bancos oferecem às suas empresas. "O dinheiro que o Bradesco libera é o mesmo que compra martelos para quebrar as suas vidraças", ironiza. A independência financeira veio aos dezoito anos, quando pediu a seu pai a herança deixada pela mãe. "Foi uma boa quantia", resume.

Personalidade e Rivotril

De uma personalidade tranquila entre os amigos, sabe que pode ter um ataque de fúria espontâneo a qualquer momento, por isso não vai para as ações diretas mascarado. Faixa roxa em jiu-jtsu, é praticante de inúmeras artes marciais. "Sou uma máquina de bater. Se eu estiver na linha de frente e um PM me der uma borrachada, juro que não sei o que posso fazer com ele. Talvez eu vá bater tanto no cara, que depois vou pagar caro por isso. Por isso não quebro nada, fico mais nos bastidores." Outra maneira para manter a calma é o uso de algumas gotinhas de Rivotril, uma garantia para não se exceder.

A violência e a repulsa pelo autoritarismo são os dois ingredientes que caíram como uma luva para Barão passar a fazer parte do Black Bloc. Desde a perda da mãe, discute com o pai sobre o que pode ou não ser feito. Nunca aceitou ordem, seja dos familiares ou dos professores. Aos doze anos decidiu passar uma temporada em Londres, apenas com o dinheiro da mesada, ligou e pediu ajuda paterna, o que sempre acontece. "É a última coisa que não gosto de fazer, mas às vezes é necessário", ri.

Barão lembra que a primeira aproximação das ações diretas ocorreu em 2000, quando os relógios da Rede Globo que faziam a contagem regressiva para a chegada dos 500 anos de descobrimento do Brasil foram apedrejados por *punks* e talvez pelos primeiros BBs brasileiros. Na época, a mídia ainda não havia identificado esse fenômeno das ruas. Além dos relógios como símbolo de sua adesão à tática, ele recorda de uma passeata com cerca de 10 mil pessoas gritando: "Fora já, Fora FHC e Fora FMI".

Barão era bastante jovem e começou a ouvir o barulho da manifestação passando em frente à sua casa, nas proximidades da avenida Faria Lima, onde o relógio estava colocado. Seguiu a turma que carregava bandeiras pretas e vermelhas e se interessou pela proposta anarquista.

A sua segunda experiência com os anarquistas foi ter vivido três meses numa ocupação na Espanha, em 2005. Gostou do modelo. A sua meta era gastar três euros por dia, conseguiu viver, mas tinha condições financeiras de torrar até cinquenta vezes esse valor. "Fumava até cigarro do chão." Nessa época, percebeu que "sempre foi anarquista" e aquela experiência foi emblemática.

Na volta para o país, em 2010, foi trabalhar em um escritório na avenida Paulista e morava na região. Novamente Barão via as manifestações de camarote: viu da janela a marcha da maconha, a marcha da liberdade. Já em junho de 2013, com a explosão das reivindicações populares, agora na janela do seu apartamento, localizado nos Jardins, viu explodir diariamente as passeatas que passavam na porta do seu prédio. Ele ficava assistindo às depredações e aos confrontos com a PM. No começo, como toda a elite, apoiava a resposta que a Polícia Militar dava aos manifestantes e seguia na mesma direção das notícias veiculadas nos jornais.

Mas, em um dos protestos ocorridos naquele mês, quando milhares de jovens estavam na rua se manifestando, já havia aparecido os mascarados do Black Bloc. Barão viu uma cena de quebra-quebra na frente do seu prédio e desceu para tirar satisfação. "Naquele momento, eu quebrei a cara e percebi que estava sendo manipulado tanto pela mídia, como pela polícia. Eu cheguei todo valentão e perguntei para o moleque: 'por que você está fazendo isso?' Ele respondeu na lata: 'Aqui o semáforo funciona, o ônibus passa na hora e tem hospital. Vai lá na periferia ver se é desse jeito?'", conta.

A resposta seca e objetiva veio de um rapaz de aproximadamente vinte anos, como lembra, com o semblante sofrido. Barão ficou em choque e a paranoia mais uma vez apareceu. Começou a pesquisar, a escrever nas redes sociais sobre a tática e acompanhar via *streaming* os confrontos em tempo real. "Comecei a minha cruzada para entender e explicar", conta. Lembrou que o avô foi um dos colaboradores de um político de esquerda em ascensão nos anos de 1950, que se tornaria o lendário Leonel Brizola, e dono de um dos primeiros hotéis de luxo da capital. Isto é, o avô adotava um posicionamento, de certa forma, revolucionário e, paralelamente, era um empreendedor. Por que ele não poderia fazer o mesmo? Apesar de antagônicas, as posturas poderiam conviver.

Violência e a casta

Barão confessa que a violência o atrai. Por outro lado, também lembra que seguia o mesmo discurso dos "antigos amigos de casta", que na periferia só tinha bandidos e analfabetos. "Passei a enxergar muito mais do que estava apenas à minha volta. Começou a fazer todo o sentido esses moleques guerreando com a PM apenas com pedra e alguns molotovs."

A militância chegou com força. Passou a estudar e entrou num curso especializado para poder discutir o anarquismo com mais propriedade, e difundir a tática para mais pessoas com mais qualificação. "Até aquele momento, os BBs só tinham feito performances. Cadê o manifesto para explicar por que quebraram o banco?" Na sequência, começaram a ser divulgados os primeiros manifestos, os amigos da elite viraram a cara e uma nova turma foi formada.

Como tudo na vida de Barão beira a grandeza, ele já tem sonhos e expectativas de novos voos. Pretende ser eleito o primeiro vereador anarquista do país. Diz que tem conversado com políticos de grande envergadura, e todos têm apoiado a ideia, sejam eles do PV, PMDB e PSDB. "Depois de eleito, a minha primeira medida é mandar o presidente da Câmara dos Vereadores enfiar o microfone no cu e ganhar exposição para o meu próximo passo."

Como sonho pequeno é bobagem, Barão quer na sequência conquistar a primeira prefeitura. A proposta é se eleger prefeito de uma cidade de 50 mil habitantes, com a bandeira da anarquia como sistema político. A ideia está amadurecendo, mas os olhos brilham com a utópica missão. Caixa para começar e padrinhos com *pedigree* ele já tem. Ele espera que a reforma política saia do papel e o item da candidatura avulsa seja aprovado. "Não tem como eu sair por um partido atual. Nenhum deles me representa, e seria até contraditório com esse discurso, eu usar a atual estrutura partidária", argumenta.

Por enquanto, ele sabe que seu papel tem o respeito dos garotos e garotas da tática, não acredita que os BBs linhas de frente passem de 200 pessoas. Mas a proposta de criação da FIP (Frente Independente Popular) o atrai. "Quem sabe esse não seja o próximo passo para algo melhor?", indaga.

Ele despreza as ideias dos políticos atuais. Diz que votou em Lula, em 2002; e em Marina, em 2010. Sobre a Rede, até gosta, mas está cabreiro com a futura presidente do partido. "A Marina é boa, mas é evangélica, e isso pode ser um problema."

Acredita que o PT foi um golpe na esquerda ao entrar no governo e se portar como os demais. O PSDB é uma panelinha, "uma maçonaria política". A Rede pode ser algo interessante. O PMDB é o problema da política brasileira. "Eles são os traficantes políticos."

O PSTU: os malucos da esquerda. O PSOL é o único com que ele se identifica um pouco. "Não sou reformista, sou destruísta (sic)."

Ruas e embates

Barão acredita que a contestação dos jovens nas manifestações de rua e nos embates entre PM e BBs é válida. Para ele, a violência policial gerou essa agressividade como respostas. Mas, com o avanço dos inquéritos policiais e as prisões de manifestantes, um grupo dos adeptos da tática, e Barão está nesse grupo, discute uma nova forma de provocação. Não seriam mais essas grandes ações performáticas que o Brasil e o mundo conheceram nos últimos meses. Mas, ações diretas planejadas, menores e com ideais provocativos, e com grandes alvos representativos e manifestos elaborados.

Ele percebeu o impacto que a ação de poucos jovens provocou no alto escalão dos governos e das polícias. "As pessoas começaram a usar o reflexo dos BBs no dia a dia para forçar uma mudança", avalia. Mas quem são essas pessoas? Ele ainda não tem a resposta, mas dá uma pista. "A depredação contra a inclusão dos pedágios no Ceagesp pode ter sido uma ação direta. Quem sabe se não tem mais coisas vindo por aí?", provoca.

Lembra das suas ações diretas individuais, de "desapropriação". "Quando vou ao supermercado, sempre pego algo escondido. E no banco roubo uma revista. Também, quando a máquina engole o meu cartão, dou vários murros. Precisamos parar de ser omissos." É, ainda falta muito para os objetivos concretos de Barão serem alcançados.

O único "luxo" do rapaz rico de trinta e três anos é um problema. O leva a passar várias madrugadas acordado e a frequentar lugares sombrios atrás do seu objetivo. A cocaína. "Todas as minhas ideias são verdadeiras, mas preciso de algo para aliviar também", finaliza.

CAPÍTULO 4.

DE BARRADO PARA PROTAGONISTA

"Sei o que vou quebrar; eu era tão inocente, que acreditava que o banco era meu amigo."

A mudança foi tão repentina e radical na vida de Ralf, que sua mãe ficou muito perto de interná-lo numa clínica psiquiátrica. O rapaz evangélico, trabalhador, universitário, tímido e que nunca havia dormido fora de casa desapareceu ou, como ele diz, "acordou", a partir de junho de 2013.

O despertar do sono não foi o celular tocando às 7 horas da manhã, como ocorria rotineiramente para ele encarar o dia andando pelas ruas de São Paulo, como *office-boy* de uma rede de joalheria, encravada na glamorosa avenida Faria Lima. Foram, isso sim, com bombas de gás lacrimogênio, balas de borracha, agressões e um "não" que, por enquanto, mudaram o destino do rapaz.

Nas primeiras manifestações de junho, o jovem moreno, alto, de fala mansa, sorriso discreto e apenas dezenove anos era mais um estudante da Universidade Anhembi Morumbi, no *campus* da avenida Paulista, com sonhos de concluir o curso e abrir o próprio negócio, na área de informática.

O rapaz que chegava para estudar, naquele início de junho, deu de cara com um ato com milhares de jovens parecidos com ele e centenas de policiais militares agindo com truculência para dispersar a multidão. Ao se aproximar da esquina das avenidas Paulista e Brigadeiro Luís Antônio, "o bicho começou a pegar". Ralf correu para entrar na faculdade com a proposta clara de se safar da confusão e ir estudar. O segurança olhou nos seus olhos e acreditou que fosse mais um jovem querendo fazer tumulto dentro do prédio, e impediu o seu acesso. Sem ter para onde ir, seguiu com a concentração, sabia que o protesto era contra o aumento da tarifa de ônibus, mas não entendia bem a sua presença ali e muito menos o que encontraria horas mais tarde.

A apresentação aos adeptos da tática Black Bloc foi em pleno vão livre do Masp. Viu alguns mascarados e ficou receoso. A maioria correu do cerco da Tropa de Choque, mas ele não teve a mesma sorte. Foi detido e literalmente amarrado, os policiais usaram presilhas de plástico no lugar de algemas. Mas, antes disso, sentiu o joelho de um PM esmagando o seu rosto contra o asfalto frio daquela noite. "Depois me lavaram para o caminhão e me bateram. Não entendia porque estava apanhando, só pensava na mentira que teria que contar pra minha mãe. Apenas me prenderam, socaram e me liberaram no final do confronto", relembra.

A mágoa da agressão, mais as palavras do adepto que havia acabado de conhecer e o simbolismo dos mascarados fizeram com que passasse uma parte do restante da madrugada fria em frente ao computador, no seu quarto, na zona Norte da capital. "Pesquisei muito para chegar aos Black Blocs, mas fiquei cabreiro no início, não queria isso. Não era de briga."

A saudade da igreja evangélica Renascer, que estava começando a aparecer, sumiu por completo desse dia em diante. O rapaz responsável e bonzinho também. A sua personalidade tranquila começou a dar lugar a um contestador da violência policial, da falta de transparência dos políticos, da corrupção sem punição. A avó começou a achar que era algo do demônio que estava levando seu neto preferido para o caminho errado, e a sua mãe apostava que ele estava envolvido com drogas ou tinha ficado doido mesmo.

Da mesma forma que a fé passou a ser rejeitada, os atos pensados e tranquilos também foram deixados de lado, pelo menos durante as suas participações nas ações diretas. Ralf é da linha de frente, como eles próprios se denominam. Não tem medo do Choque, da Força Tática ou da Rocam, mas essa coragem tem o tempo certo de aparecer. É na hora de "morfar", o momento de colocar a máscara, o instante da transformação e a ida para o arrebento. A dó e a piedade ficam para trás. Nesta hora, entra em ação um jovem revoltado e com foco para destruição, como ele afirma. "Sei o que vou quebrar; eu era tão inocente, que acreditava que o banco era meu amigo. A vontade de mudar o Brasil me levou a isso", conta, reflexivo.

E a mudança passava na porta do trabalho. A avenida Faria Lima foi transformada em palco de manifestações nos meses de junho e julho. A sua segunda participação foi parecida com a primeira. Quando desceu do prédio, no final do expediente, encontrou mais uma vez a multidão. Seguiu, dessa vez não apanhou e viu pela primeira vez uma ação direta. Jovens quebrando bancos, barricadas com lixo no meio da rua, pedras sendo jogadas contra os policiais, que revidavam com bombas e tiros de borracha.

Mordeu a isca. A violência o atraiu. Ainda não entendia porque eles quebravam as agências bancárias. "Essa galera quer ir pra onde?", questionava. Leu, durante a semana, sobre anarquismo, democracia e Black Bloc. Na terceira manifestação, já era uma outra pessoa ideologicamente. A revolta surgiu das páginas do Google e da comparação com o cotidiano do cidadão brasileiro. Não queria seguir apenas a multidão, queria mudar com as próprias mãos ou, pelo menos, tentar consertar o país. Ainda sem foco, apenas a raiva da PM e do esgotamento moral dos políticos.

"Fui preparado para a guerra. Antes eu gritava sem violência, naquele momento a coisa mudou." Os confrontos entre a PM e os manifestantes ganharam destaque nos jornais e as imagens chocaram a população. Ralf, no final de junho, se tornou um Black Bloc.

Infância e ocupação

As ações diretas começaram a se tornar parte do seu dia a dia. Se enturmou com outros adeptos da tática que tinham uma vida parecida com a sua. Estudavam, trabalhavam e queriam mudança. Sentiu-se incluído. Literalmente abraçado. Os amigos de infância, do futebol e do próprio trabalho começaram a ficar de lado. "As ideias pararam de bater, mas eu ainda curto os caras. Afinal, crescemos juntos, mas neste momento, meu foco é outro."

O sonho de ser um pequeno empresário foi abandonado. A angústia da avó e da mãe só aumentava. Ralf foi criado pelos avós quando os pais se separaram e a mãe decidiu viver numa cidade do Grande ABC, com o novo marido. Na escola, o garoto sempre passou de ano. Não era um excelente aluno, mas conseguia os resultados necessários.

Nunca foi pobre, muito menos rico, se considera classe média. Os avós são aposentados, a mãe é advogada. Sempre estudou em colégio público, e reclama agora do nível do estudo. "Parece que os professores não se esforçavam para ensinar."

A calma na conversa não é alterada, Ralf mais parece um coroinha da paróquia do que um terrorista, como chegaram a falar sobre os BBs. A timidez foi ficando de lado ao falar das ideias para o futuro. Os livros sobre *hardware* e *software* foram esquecidos no fundo da gaveta. Tem lido sem parar o filósofo Errico Malatesta, seu grande inspirador, e no mesmo ritmo de mudanças, se declara para a noiva, também adepta da tática, nas redes sociais. O namoro começou em setembro de 2013, e, o casório está perto, basta Ralf arrumar um emprego.

Em três meses de ações diretas, já se tornara experiente e respeitado no grupo. Teve papéis fundamentais na maior concentração de

Cara de mau. O fenômeno que parou a maior cidade do país em um ano com ações violentas não tem mais que setenta membros ativos. Em setembro de 2014, o movimento hibernou devido às prisões preventivas e por cansaço.

Mascarados carregam *skate* a tira colo durante confronto na Zona Leste de São Paulo. Minutos depois das bombas e balas de borracha, os jovens voltam para o seu dia a dia.

Os alvos foram os maiores bancos do país, além de concessionárias de veículos, durante o último ano. O prejuízo foi maior para a imagem do que para os custos com as reformas.

Garotas fazem pose para as câmeras. Além da destruição, um dos objetivos do grupo era a provocação.

Centenas de pessoas protestam na porta da prefeitura de São Paulo pedindo o fim do aumento da tarifa dos ônibus, em junho de 2013. Após dizer que não reduziria o valor, o prefeito Fernando Haddad teve que voltar atrás numa derrota política que ofuscou a sua imagem até dentro do Partido dos Trabalhadores.

Antes das ações diretas, jovens fazem pose de rebeldia para a primeira máquina que surge à sua frente.

© André Guilherme

Descanso e reflexão. Tempos depois dos confrontos, mascarados explicam seus motivos. Alguns se decepcionam e choram revelando suas frustrações.

Correria e gritos. Sem noção do perigo, mascarados encaram centenas de PMs com pedras, vinagre, barricadas e adrenalina.

A estética da provocação: "A manifestação é o único momento em que posso xingar, gritar, falar com o PM. Vamos para guerra", conta um mascarado.

Anarquismo e movimento *punk* caminham juntos com os Black Blocs no primeiro ato contra a Copa. Milhares de pessoas tomaram as ruas no maior ato de 2014.

© Tarek Mahammed/Fotógrafos Ativistas

Os espetáculos das intervenções nas cidades viraram a principal arma dos adeptos da tática. Neste, o álbum da Copa do Mundo foi a vítima.

MAXAIR

© Filipe Mota

Muito mais que apenas depredação e vandalismo. Black Blocs falam em ato contra a Copa em frente à Catedral da Sé, em São Paulo, em março de 2014.

Black Bloc, no dia da Independência, em São Paulo, quando cerca de 500 mascarados apareceram no centro da cidade e tiveram um confronto com a PM. Vários foram detidos. Ele escapou, o mesmo aconteceu em outubro quando os adeptos da tática conseguiram virar um carro da Polícia Civil, também no Centro.

O serviço de entrega e retirada de documentos se acumulou no setor administrativo da rede de joalherias quando ele foi "preso". Não pelo trabalho de inteligência da polícia, mas pela sua mãe, que viu pela televisão onde ele dormira nos últimos tempos: na porta do Palácio dos Bandeirantes, a sede do governo do estado, no bairro do Morumbi. Ralf participava do "Ocupa Alkmin", movimento de jovens acampados em barracas para protestar contra o Cartel do Metrô, que havia sido noticiado e acusava a cúpula dos políticos tucanos de corrupção na construção superfaturada das novas linhas e na aquisição de novos trens nos últimos anos, pelo governo do estado de São Paulo.

A advogada, que já estava com ideias apavorantes a respeito do seu filho mais velho, não pensou duas vezes e partiu com o carro até lá. Ralf que, naquele instante, havia conhecido a sua futura noiva e estava muito interessado na moça, perdeu o rebolado. Sua mãe chegou com tudo e ele sofreu, como podemos dizer, uma ação direta, sem chance de reação, e ainda foi chamado de "revolucionário da mamãe" pelos policiais que protegiam o local. "Não tive o que fazer, eu que passava o dia todo xingando os policiais de fascistas e assassinos, perdi a moral. Mas faz parte, ela queria o meu bem", diz em tom de ironia, quase um ano depois da cena.

A família toda apoiou o ato da mãe. O jovem ficou uma semana trancado em casa. Sem computador e sem celular. Neste momento, a internação foi cogitada e apoiada pela maioria. "Ela queria me colocar numa clínica para doido de todo jeito", relembra. Para clínica ele não foi obrigado a ir, mas passou por uma consulta com o psiquiatra que avaliou que o garoto estava bem.

"Meus amigos vieram até em casa. Mas não deixaram eles entrarem. Aí, alguns fizeram a besteira de chamar a polícia e acusaram minha mãe de me manter em cárcere privado. O policial ouviu a história e tirou um sarro da cara deles."

A mãe ligou e avisou o patrão do motivo das faltas do filho. O chefe aceitou e bastou o jovem voltar a trabalhar para ser demitido, no momento em que sairia de férias, após um ano exaustivo de trabalho. "Meu chefe era de direita e, claro, me mandou embora por causa da minha ideologia."

Em casa e sem emprego, decidiu se aprofundar nos estudos para entender melhor a causa e ampliar o seu "repertório". Leu obras sobre o marxismo, capitalismo, anarquismo, filósofos e pensadores que discutem a ação direta ao longo da história. Preparou-se muito. Em encontros com outros adeptos, aproveitam para estudar, discutir, namorar e se divertir, afinal a maioria são jovens na faixa dos vinte anos.

Ralf agora está em dúvida sobre a carreira que deseja seguir, ou será ciências sociais, para no futuro se tornar professor, ou jornalismo. "Ainda não sei, mas será uma dessas. Até o final do ano eu decido." A namorada é estudante de economia.

Com o endurecimento da repressão e as prisões dos possíveis adeptos da tática Black Bloc, decidiu dar um tempo. "A gente precisa se preparar mais, agora não dá para ser *kamikaze*. Quem sabe no futuro as ações diretas não voltam. A tática pode ser usada a qualquer momento."

Para ele, o recuo é estratégico, ou seja, o desaparecimento das ruas dos tão falados Black Blocs. A situação está desfavorável para eles, algumas prisões estão sendo realizadas. Em agosto de 2014, um laudo da Polícia Científica mostrou que os artefatos que dois supostos praticantes da tática portavam no momento das prisões não tinha capacidade nenhuma de combustão. Os jovens foram libertados após quarenta e três dias na cadeia. O episódio desmoralizou a Polícia Civil que havia afirmado que eles portavam material incendiário.

Questionado sobre a orientação política, o jovem afirma que atualmente é um anarquista e acredita no socialismo libertário, no qual cada um tem o poder de decisão. Sabe que foram usados pela direita, como massa de manobra para desgastar o governo federal. "Não somos vinculados a nenhum partido. Mas a gente fazer parte do PSDB é algo completamente conflitante com os nossos interesses. O povo sempre cai no discurso da direita, usando Deus e a família. É preciso perder a paciência para as mudanças acontecerem."

A atuação da PM nos confrontos fez Ralf lembrar dos "esculachos" que já levou ao longo da vida. O revide atual não é por causa do passado, mas sim uma questão de alvo e logística do presente. "Os policiais estão iludidos, são mal pagos e sofrem com os mesmos problemas que sofremos. Como não dá para tacar pedra no governador, jogamos na PM, que é um dos símbolos do estado corrupto e violento."

Ao fim da entrevista, depois de mais de três horas de conversa em um bar deprimente no centro de São Paulo, Ralf exibe um sorriso no rosto ao desligar o telefone. "Vai dar certo, estou indo encontrar a minha noiva."

O Black Bloc causou muita dor de cabeça para as autoridades e para os próprios familiares dos adeptos da tática, mas no caso do garoto tímido, de concreto, só restaram o amor e a esperança. Diferente de alguns, Ralf afirma que a tática não vai causar a revolução. "Mas é um começo, afinal precisamos começar de algum lugar."

O jovem saiu andando em direção ao metrô com o gingado de quem está feliz da vida e apaixonado. A revolta e os ataques ficaram para o futuro porque, agora, ele está focado no casamento.

CAPÍTULO 5.

APAIXONADA PELO PERIGO

"As pessoas saíram do mundo de Matrix, despertaram uma emoção. Parecia que veríamos o país mudar."

"O que me segura é o amor naquilo." "Naquilo", podemos dizer que seja o sonho, a luta, o combate, a utopia de um mundo mais justo e, também, o parceiro. Mana tem vinte e três anos, é bonita, vaidosa trabalhadora e uma líder nata. Encontramos com ela algumas vezes, e em todas fomos surpreendidos por alguma atitude distinta.

No dia da abertura da Copa do Mundo, em vários confrontos entre os mascarados e a PM ao redor da estação Carrão do Metrô, na zona Leste de São Paulo, vimos a garota de cabelos vermelhos liderando os Black Blocs. A calça preta justa, botina, máscara de proteção e os olhos retocados a lápis faziam parte do visual. Os seus atos chamam a atenção dos curiosos à margem dos embates, e até mesmo dos próprios adeptos da tática.

Todos ouviam e obedeciam aos gritos estridentes da garota de cerca de cinquenta e três quilos. O seu espírito aventureiro parecia cego ou hipnotizado. Ela partia para cima dos homens do Choque com a naturalidade de uma guerreira, sempre contra a maré e as bombas de efeito moral, gás lacrimogênio, além das balas de borracha. Se garotos mascarados corriam assustados em sua direção, ela começava a dar ordens, aos gritos, para todos voltarem a atirarem pedras, xingarem os PMs e causarem transtorno. A meta foi alcançada: exposição gratuita e instantânea nos jornais do mundo todo.

Por outro lado, Mana tem um emprego fixo há mais de dois anos. Trabalha de segunda a sexta-feira em um escritório localizado no palco de inúmeros confrontos, a imponente avenida Paulista, o coração financeiro do país e o objetivo da cobiça dos adeptos da tática. No trabalho, já foi promovida e é respeitada profissionalmente. Poucos sabem das suas atividades fora do serviço. Também se formou no curso superior, na área do meio ambiente; e se veste, no dia a dia, como milhares de mulheres que trabalham na região. O modelito é o básico: terninho, sapatos, maquiagem, brincos de pérolas e colares. Bonita, os cabelos avermelhados chamam atenção por onde ela passa. "O meu trabalho é uma coisa, estou ali para ganhar o meu salário. Gosto do que faço. Mas a luta está esperando por mim."

A firmeza nas palavras é a mesma de quando vimos Mana pegar o microfone numa praça, no centro da capital paulista, com centenas de pessoas, e comandar um ato pela liberdade de dois jovens presos pela Polícia Civil em julho, acusados de serem Black Blocs. Para Mana, esses embates trazem uma emoção muito forte. A causa para lutar, acredita, é a vontade de fazer algo diferente. "Temos que, pelo menos, tentar colocar o Brasil numa situação correta. Esse é um direito do povo", analisa, com certo ar de inocência.

Brincadeira de gente grande ou sem consequência

Nosso último encontro ocorreu após dois meses sem a aparição relâmpago e midiática do fenômeno Black Bloc. Mana estava toda vestida de preto. Caminhava pelas ruas da Vila Mariana, na zona Sul, quando a vimos de dentro do nosso carro. Arrumava os cabelos, como uma garota qualquer, encantando alguns marmanjos ao redor. O olhar doce sumiria horas mais tarde, não por uma ação direta, mas pelo bate-papo. Ela revelou sua última estripulia revolucionária. Não tirou nenhum plano da mochila, mas fez confidências um pouco fora do normal.

Segundo ela, após uma noite na casa do namorado, no extremo da zona Leste paulistana, o casal acordou, na manhã de um domingo, começou a preparar bombas de nitrato de potássio e simplesmente as explodiu no fundo do quintal. "A gente queria se distrair, foi bem legal, mas começou a dar muito na cara e paramos." Os seus olhos brilhavam ao contar a travessura, típica de adolescentes.

Com ela, a normalidade passa longe. Não suporta pessoas normais e controladoras. "A normalidade me sufoca." Gosta da adrenalina a mil. No início das manifestações, em junho de 2013, Mana estava na rotina casa-trabalho. Sua luta foi sempre em defesa dos aninais, participa desde os dezessete anos de ONGs que travam essa batalha. "Sou doida, doida por animais. Como sempre faço pelo que estou apaixonada." Nessa batalha até participou de passeatas do Greenpeace contra a construção da usina de Belo Monte. "Esses atos eram muito mais tranquilos, não tinha tanta gente e nem ações diretas. Até que essa causa mereceria uma revolta mais prática, mas não tínhamos pessoal para o embate."

Se antes, na defesa dos animais, não encontrava companheiros com quem pudesse colocar para fora toda a sua revolta. Em junho de 2013, não demorou muito e achou centenas de jovens com sangue nos olhos e vontade de botar para quebrar. "No começo achava legal a parte filosófica dos Black Bloc, como o anarquismo, mas não concordava com as ações diretas." O pensamento mudou rapidamente.

Mana nunca tinha feito uma ação direta, mas, para entrar numa causa, para ela precisa haver paixão, e a violência sempre a encantou. Foi para as ruas junto com a enxurrada de inquietos que saíam de casa em centenas de cidades brasileiras na época. Via nos atos uma válvula de onde a violência poderia explodir. Reconheceu nos vestidos de preto uma familiaridade. Ouviu os primeiros acordes dos adeptos da tática Black Bloc: revolta contra o sistema, anarquismo, ação direta, violência policial, quebrar banco e encarar a tropa. Não teve dúvidas: "Quando percebi já estava dentro da confusão. Até me esquecia de 'morfar'. Tinham que me lembrar para eu colocar a máscara", revela.

O anarquismo já conhecida desde a adolescência. "Quando descobri nos livros, logo me identifiquei e passei a assinar o meu nome com símbolo (Ⓐ). Os professores não entendiam." Começou a ler sobre o assunto na biblioteca da escola pública, localizada em uma das grandes cidades do ABC. Ainda mora no mesmo município junto com a mãe e o irmão. Considera-se de classe média, nunca passou "perrengue", como ela mesma diz, mas nada foi fácil.

Além do anarquismo, elegeu a PM como inimiga ao ver a truculência da tropa nas manifestações, apesar de dizer que nunca havia sofrido violência policial antes de seu envolvimento com o Black Bloc. Nas primeiras manifestações caminhava ao lado da massa, e no dia do primeiro confronto, ainda em junho, na rua da Consolação, se desesperou. "Foi terrível, não sabia onde me esconder. Foi a treva para dormir, parecia que as bombas ainda estavam explodindo por perto."

De espectadora perdida para ativista de linha de frente

Dias depois do primeiro confronto, lá foi ela para a frente do prédio da Prefeitura protestar. Viu os mascarados incendiarem o carro de uma emissora de TV. Amou o poder de um coquetel molotov.

"Naquele momento, as pessoas saíram do mundo de Matrix, despertaram uma emoção. Parecia que veríamos o país mudar."

A mudança de fato veio dias depois, o prefeito Fernando Haddad e o governador Geraldo Alckmin anunciaram o cancelamento do aumento da tarifa do transporte público. Os famosos vinte centavos. Uma batalha já havia sido vencida. Para Mana surgia outra. Convencer sua mãe da necessidade de dar os próximos e perigosos passos. "No meio da confusão, tinha que parar e arrumar um tempinho para enviar mensagens para acalmar minha mãe em casa."

Não foi apenas a paixão pela violência, espetáculo e fogo. A moça dos cabelos vermelhos percebeu, como outros mascarados, que se encaixava numa nova turma. Jovens ativos, cansados da violência policial e que não suportavam seguir em marcha lenta pelas ruas de São Paulo. Criou-se um vínculo afetivo entre os adeptos da tática. Com isso, uma união para a criação de manifestações-*shows*, quebradeiras, ameaças e repercussão. Para isso, existia uma *performance* que exigia um ritual de transformação. O temor da mídia e da população com os jovens de preto foi muito potencializado, já que não eram mais de setenta garotos e garotas na linha de frente.

Para Mana não era diferente. Dos novos amigos, muitos ainda permanecem, após pouco mais de ano do surgimento do fenômeno. Ela ainda anda pela avenida Paulista com a mesma mala encardida.

Em junho de 2013 passou a carregar o "*kit* ação direta": óculos, botas, lenços, vinagre e máscaras. Usava uma de proteção e outra do personagem Anonymous. "Minha vontade era sair do trabalho já 'morfada', mas não podia dar esse vacilo." A transformação era o de menos: em pouquíssimos minutos Mana era mais um mascarado infernizando a PM e destruindo vidraças e lixeiras públicas. "Tinha Black Bloc começando a quebrar, pichar, tocando fogo. Eu queria fazer uma coisa mais radical."

Não demorou muito para o algo mais radical, e ainda mais midiático, acontecer. Cerca de quinze mascarados invadiram o centro de pesquisa do Instituto Royal em outubro de 2013 e entraram em confronto com os homens da Tropa de Choque. Mana foi uma das linhas de frente ao revidar com pedras e atear fogo em um carro. "Ali era uma afinidade minha. Demos condições para os ativistas resgatarem os animais. Eu me sinto orgulhosa por ter feito parte daquilo."

Na hora das ações diretas, ela diz que fazia tudo "na base do foda-se". Não temia repercussões negativas ou ferimentos. O único medo é sofrer violência sexual. "Ainda ando com cinquenta olhos ligados. Não me considero uma baderneira, mas sim uma revolucionária, podemos dizer que faço parte de uma esquerda radical que não se encaixa em nenhum partido."

© Eli Simioni

Mana considera que a violência utilizada pelos Black Blocs é apenas um escudo para se defender dos ataques e da brutalidade dos soldados da PM. Por outro lado, se diz apaixonada — mais uma vez — pelo fogo, especialmente pelo coquetel molotov. O atual namorado anda com uma mochila carregada de bombas incendiárias. "Até brinco com ele, acho que me apaixonei de verdade foi pelos molotovs", diverte-se. Ainda não teve coragem de jogar um. Mas, em compensação, as pedras são a sua arma favorita. "Minha primeira vidraça não foi, como podemos dizer, espetacular. Precisei de mais de uma pedra para quebrar a fachada de vidro do banco. O prazer foi algo realmente bom", sorri.

Atualmente se sente exausta da tática. A perseguição policial — com intimidações longe dos olhos da justiça, que muitos mascarados relatam, como visitas em horários nem um pouco convencionais — e até mesmo a falta de novos membros, a deixaram um pouco desanimada. Mas, por outro lado, como outros mascarados disseram, acredita que esse é o momento de ficar quieta, para voltar com força em um futuro breve. "Quem sabe com uma reestruturação e a criação de uma frente de lutas, com mais contexto político."

Enquanto isso, Mana continuará passando despercebida entre milhares de pessoas na região da avenida Paulista. Mas, elegante e com a sua sempre presente mochila encardida a tira colo.

CONTRATE CAÇAMBA CADASTRADA
WWW.LIMPURB.SP.GOV.BR
CADASTRO LIMPURB
0812
VALIDADE
07/2014
RETEC
3712-2416
ALÔ LIMPEZA
DISK 156

CAPÍTULO 6.
MINI PUNK

"Minha raiva é maior que meu medo."

O rosto é pequeno, juvenil. O olhar, desconfiado. As roupas, alguns números maiores. Folgadas, largas. Os tênis enormes, dois números acima. Uma touca surrada esconde o moicano. Carrega um *skate*, velho e destruído, a tira colo. O sorriso demora a aparecer. Encontramos Oscar nas escadarias do Teatro Municipal de São Paulo, numa noite gelada de julho, o nosso entrevistado parecia ainda menor do que realmente é.

Pelas credenciais que nos foram passadas do tal rapaz — linha de frente, sangue nos olhos, meio sem noção e, tudo isso, com apenas catorze anos de idade —, a conversa prometia, mas o gigantismo da obra de Ramos de Azevedo e os ventos gelados parecem ter travado o rapaz. Mal era possível ouvir as suas frases. Para a entrevista acontecer, e depois percebermos que o menino com menos de cinquenta quilos estava congelando de frio, corremos para dentro de uma loja do McDonald's na redondeza. Ele ficou ainda mais desconfiado, mas depois de duas perguntas "o papo rolou", como ele mesmo diz.

Morador de Osasco, Oscar não tinha confirmado a presença no dia marcado para a entrevista. Ele não tem celular e, diferentemente da maioria dos mascarados, aparece casualmente nas redes sociais. Também não tem mais catorze anos como haviam nos dito, acabou de completar dezesseis. Mas começou nas ações diretas aos catorze mesmo, em junho de 2013, nas vésperas de completar quinze, como gosta de frisar.

Vandalismo expressionista

Filho de nordestinos, a mãe veio da Paraíba e o pai é baiano, Oscar nos deu uma das melhores definições para os adeptos da tática Black Bloc. "Fazemos o vandalismo expressionista, nossa destruição é uma obra de arte", vangloria-se. Disse que criou sozinho o conceito ao comparar o período das ações diretas com as obras dos grandes mestres, como Goya. Ele pode ter exagerado, mas captou com simplicidade o que vários garotos e garotas tentaram nos dizer nos últimos meses.

A sua primeira obra de arte não teve um começo louvável. A pouca idade e a força física limitada, somados à falta de técnica, fizeram com que ficasse com os pés cheios de cacos de vidro de um banco do centro de São Paulo. "Não sabia direito e enfiei o pé com tudo para quebrar, era mais fácil ter jogado uma pedra. Quando cheguei ao metrô tirei o tênis e voou um monte de caquinhos. Foi até engraçado, mas machucou um pouco", lembra, rindo.

A suposta inconsequência de um garoto inocente, manipulado pelos mais velhos ou pela mídia foi sendo deixada de lado ao longo da conversa. As motivações — segundo ele corretas — foram sendo reveladas para justificar sua presença entre os Black Blocs. Entre elas, estão a anarquia, o *punk*, a violência policial e familiar, o alcoolismo paterno, o ódio pelos políticos e a disposição por uma aventura inerente à idade. Eram essas as justificativas que ele precisava para colocar sua raiva para fora ao encarar a PM, destruir patrimônios públicos e privados, chocar a população e supostamente tentar mudar o horizonte do país.

Nas rodas de Osasco

A coragem de encarar duas horas de condução para participar dos primeiros atos do MPL em junho de 2013 apareceu numa tarde, ao ler sobre os protestos nas redes sociais e acompanhar pela TV. Não teve dúvida, andou durante uma hora para chegar à estação de trem de Osasco e de lá partiu numa composição da CPTM em direção ao centro de São Paulo para o terceiro ato que pedia a redução do aumento da passagem de ônibus.

Não sabia direito o que fazer, queria protestar, gritar por melhorias, seguiu a marcha e se deparou com os garotos de preto. Logo se identificou e ficou por perto.

O rosto inocente e o corpo franzino deram lugar ao "Mini Punk", como a nova turma o apelidou. Oscar já frequentava as rodas do movimento *punk* no centro de Osasco. Achou o seu destino, que seria vivido intensamente nos próximos seis meses. Não perdeu tempo, encontrou uma paquera e amigos.

O bate cabeça das baladas *punk*, as "trocas de porradas" com pai alcoólatra, os primeiros porres. Tudo isso se somou nos últimos tempos, formando um turbilhão de emoções e angústias. "Não é fácil encarar o Choque de frente, mas não poderia ficar calado." A sua justiça, feita com as próprias mãos, mesmo que em pequenas doses, garante lealdade e coragem na hora de "morfar". Os gritos dos mascarados o deixavam confuso, mas depois passou a fazer parte do ritual. "Uhuuuu, uhuuuu, uhuuuuu", é o grito de guerra dos Black Blocs para se motivarem e alertarem a todos que dali para frente o bicho vai pegar.

Oscar mostra rancor nas palavras e nos gestos ao longo da entrevista. Está sempre na defensiva. Questiona as perguntas. Já está "desencanado" com a tática. "Muitos começaram a querer se aparecer demais. Eu já me afastei, mas posso voltar a qualquer momento." No ápice dos confrontos, foi detido duas vezes e levado para a Fundação Casa. "Não tive medo, sabia o que estava fazendo, e eles não tinham provas para me segurar lá", conta, sem mudar o tom de voz. Não chegou a passar uma noite na detenção para menores de idade. Pensava na família, mas diz que estava pronto para "o que der e vier". O medo, o pânico, é ser espancado e ficar cego. Já apanhou de cassetete e levou tapa nas manifestações e "esculachos" ao caminhar pelas ruas escuras do seu bairro junto com amigos. Outros jovens adeptos da tática relatam esse mesmo tipo de tratamento por parte da PM.

Para Oscar, esse foi um dos principais combustíveis para a guerra travada entre Black Blocs e policiais militares, além do cansaço e do desprezo pelo sistema político. Dessa forma, ele argumenta que tem o direito de lutar, xingar, jogar pedra e tacar fogo em carros da polícia, seja ela militar ou civil.

Outra disposição, segundo ele, é acreditar que pode trazer melhorias para a sociedade, mas não sabe elencar quais, fora o básico pedido por milhões de brasileiros e repetido por políticos hipócritas: mais saúde e educação e transporte público adequado. Ainda não votou, se declara anarco-humanista, e não votará nas próximas eleições.

Sobre os políticos atuais, revela uma leve admiração pelo prefeito de São Paulo, Fernando Haddad. "Ele é meio-termo". Para ele, Lula e o Partido dos Trabalhadores "são uns traíras". O PSDB é um partido fascista. O deputado federal e ex-governador Paulo Maluf e o presidenciável Aécio Neves são "filhos da puta". A presidente Dilma é uma "cara de pau". "Ela era uma Black Bloc nos anos da ditadura militar e agora apoia quem a torturou? Sem chance, não dá para entender." A definição mais interessante foi sobre FHC: "O que é isso? É a sigla de uma polícia, né?", perguntou com os olhos arregalados.

Jaqueta surrada

No primeiro momento, diz que sua participação junto a tática não tem nada a ver com a violência familiar. O pai, de pouco mais de quarenta anos, vem agredindo a mãe e ele ao longo dos últimos anos. A sua paciência se esgotou e nas últimas agressões paternas, revidou e a confusão foi maior. "Não aguentava mais, não podia ficar quieto, agora, meus pais estão se separando, acho que vai ser melhor para eles."

Depois da última briga com o pai, se tornou mais agressivo fora de casa e abraçou a causa do Black Bloc. Cansou de tudo, largou os estudos. "Fui um bom aluno, mas com as manifestações percebi que a escola não acrescentava mais nada. Preferi lutar e, quando fizer dezessete anos, vou me matricular num supletivo."

Os pais não concordaram com a ideia, mas pouco fizeram para manter Oscar na escola. Trocou a sala de aula pelo computador que ficava na sala da pequena casa, cedida pela avó. "Passava o dia inteiro estudando a tática, os principais cabeças. Até o dia que minha mãe veio brigar comigo. Na raiva, joguei o computador no chão e risquei a televisão. Eles estavam achando que eu estava doido." Passado o momento de explosão, chegou o arrependimento. Os olhos minúsculos se arregalam para confirmar que foi infantil e fez besteira.

A família descobriu pela televisão que Oscar estava envolvido com o Black Bloc. "Eu apareci com a minha jaqueta de *punk* quebrando o carro da polícia. Minha mãe viu e me ligou, desesperada". Ele parece não se importar com o fato de ter sido pego no pulo.

Disse que chegou em casa e todos foram "encher o saco", mãe, tia e avó. "Ainda bem que o pastor da igreja da minha avó disse para ela que isso é normal, e para ela ficar tranquila."

Em algumas ações diretas, como não tinha dinheiro para comprar uma máscara, pegou emprestada a do irmão caçula, do Homem Aranha. Como é pequeno e ágil, Oscar é um dos primeiros a ir provocar os policiais. Xinga e corre, também sabe fazer uma barricada rapidamente.

Na linha de frente, atuou na invasão do centro de pesquisa da Royal; ali trocou empurrões com os policiais e chegou a pegar uma bomba de efeito moral com a mão. "Claro que queimou, eu não tinha ideia do que poderia fazer isso (mostra a cicatriz), mas naquele momento a minha raiva era maior que o medo."

O rapaz, que frequentava a igreja evangélica desde pequeno, atualmente se diz agnóstico. Não acredita mais em Deus ou tem qualquer outra fé. "Acredito que com um trabalho bem-feito, podemos mudar muita coisa no Brasil." Afirma que suas atitudes, ao participar de quebra-quebras, são apenas a ponta de um *iceberg*. "A população não pode engolir tudo o que fazem por aí", prega. Os amigos do bairro acabaram ficando para trás, como ocorreu com os outros adeptos ouvidos para este livro.

Atualmente, seu dia a dia é ajudar o pai num pequeno negócio na área de informática. Já fizeram as pazes. "Afinal, família é família." Ele é o *office-boy* e o entregador. Sai de Osasco, vai até o centro, mas não para participar das ações diretas, mas sim para comprar peças de computadores na região da Santa Ifigênia. "Meu pai não diz na cara que aprova, mas ele seria um Black Bloc se fosse mais jovem."

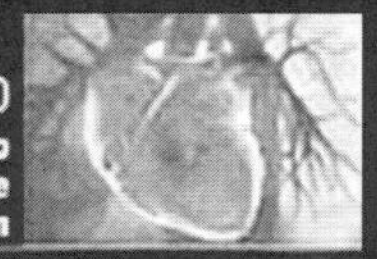

CAPÍTULO 7.

EXILADA PELA CAUSA

"Não posso vacilar, a minha cabeça vale prêmio."

"**Os olhos de Emma são** *lindos, de uma cor verde-cinza e com forma e tamanho muito harmônicos com o pedaço do rosto cuja pele está de fora."... "Emma é linda. O anarquismo é lindo."* Assim a nossa entrevistada foi definida por Caetano Veloso, em artigo publicado em *O Globo*, em setembro de 2013.

O mestre das letras fantásticas e memoráveis, baiano e cidadão do mundo, poético — como amigo cunhou: um conservador-*hippie* — talhou um texto exaltando a beleza, as ideias e a coragem de uma carioca de vinte e poucos anos. Mal sabe ele que ela é órfã de pai, está longe da mãe, largou o marido e está clandestina por causa de sua ideologia.

Emma não é Emma, não mora mais no Rio de Janeiro, não mora em Brasília, ou em São Paulo ou numa casa, ou apartamento. Emma sofre com a tosse, com o frio, com a culpa. Emma foge de si, foge da fama midiática que a elegeu como símbolo sexual dos Black Blocs cariocas. O *status* surgiu após a revista *Veja* colocá-la na capa e destruir sua reputação, se assim podemos dizer. Foi acusada, inclusive, de manter dois namorados no acampamento, como se isso fosse um crime ou tivesse alguma importância.

Essas histórias ganharam destaque na imprensa nacional e internacional. Transformaram-na em objeto de cobiça dos policiais que a caçam, inclusive junto com um dos seus ídolos, o filósofo russo Mikhail Bakunin, morto em 1876 e (irônica e curiosamente) citado como suspeito em um inquérito da Polícia Civil carioca que responsabiliza vinte e três pessoas pela organização das ações violentas durante as manifestações de junho de 2013.

A nossa entrevista com Emma foi a mais difícil e complicada de fazer, tensa. O medo estava presente nos olhos verde-cinzas durante as quatro horas de conversa. Fomos para longe, soubemos o lugar nos últimos instantes. A cidade e o estado não podem ser revelados, por motivo de segurança ou paranoia dela. Um bar decadente, onde não entrou nenhum outro cliente durante o período que durou a entrevista, foi o lugar escolhido. Cardápio: cerveja, suco, lanches, cigarros, traumas e desconfianças.

Conhecimentos profundos

Emma não nasceu com esse nome e muito menos o utiliza no dia a dia. A carioca da zona Oeste, de vinte e poucos anos, parou de estudar no quarto semestre de *marketing* e jornalismo.

É uma das poucas que conhecem — profundamente — a tática Black Bloc. Ela não entrou despreparada nas manifestações de junho e muito menos nas ações diretas que aterrorizaram o país nos últimos meses, inflada pela cobertura da imprensa.

É uma líder que não gosta de ser chamada e colocada nesta posição por dois motivos. O primeiro é porque a tática se caracteriza por ser um movimento horizontal, sem lideranças. E o segundo é porque ela não quer chamar mais a atenção dos policiais para a sua existência.

Atualmente sua vida é a tática. Carrega no corpo as consequências da sua opção. Já foi hospitalizada com febre, infecção urinária e convive com uma tosse seca de quem vive pelas ruas. Não tem RG ou outros documentos, conta no banco ou no Facebook, e tenta esconder o seu passado na nova cidade que escolheu para ser o seu lar, pelo menos até a poeira baixar.

Conhecemos a garota, que não aparenta a idade que tem, numa situação surreal. Numa tarde ensolarada de sábado, em um restaurante chique, nos Jardins, bairro de gente rica em São Paulo, propriedade do nosso outro personagem, o Barão Revolucionário (leia mais na página 209).

Quando Emma chegou, não chamou a atenção, mesmo com roupas pretas, justas e pequenas. Um coturno, uma mochila velha, uma cara de ressaca (ela estava mesmo de ressaca) e um cigarro na boca. Sentou-se e ficou grande parte do tempo quieta, ouviu seu amigo contar a história dele por várias horas. Fez pouquíssimas observações e, não sei por que, no final do papo, revelou quem era e topou conceder uma entrevista para este livro.

A 01 caiu em nossas mãos

Para a polícia carioca ela não existe oficialmente. Seu nome não consta no inquérito criminal. Nas últimas prisões, segundo ela, os detidos foram obrigados a responder cerca de sessenta questões sobre o seu paradeiro. Ela acredita que os policiais a querem como um troféu para a imprensa. "Não posso vacilar, a minha cabeça vale prêmio", conta, cabisbaixa.

Naquela tarde congelante, o rosto sisudo foi dando lugar a um semblante sereno, juvenil e não duro. O traje era o mesmo do primeiro encontro. As unhas das mãos estavam comidas, destruídas, a exemplo da relação com o último marido. O *piercing* no nariz, o corte de cabelo moderno, com apenas um dos lados raspado, dá um tom de rebeldia, os fios longos e vermelhos ganharam ainda mais destaque com a longa trança, que foi acariciada a todo momento.

Essa é a rebelde que tanto incomodou os oficiais e políticos nos quarenta dias que ficou acampada, junto com dezenas de mascarados, na porta do prédio onde mora o ex-governador Sérgio Cabral, no bairro do Leblon, no Rio de Janeiro. Emma foi uma personagem. Uma ficção, uma caricatura, uma sombra. Uma homenagem a Emma Goldman, uma das mais influentes anarquistas que o mundo já conheceu. A sua verdadeira dona é a mascarada mais preparada que conhecemos ao longo das entrevistas.

Lê diariamente pensadores, livros, manuais de sobrevivência, guerrilha, textos sobre a tática e movimentos autônomos. Acredita no sonho da mudança. "Não creio que exista uma revolução sem o caos, sem combate. A minha vida se transformou com a tática Black Bloc", conta.

A garota foi obrigada a crescer visitando as favelas cariocas. Não era apaixonada por isso, mas sim filha de uma funcionária pública que desenvolvia projetos sociais nas regiões mais pobres e carentes da cidade. Mangueira, Cidade de Deus, Morro da Dona Marta, Jacarezinho, entre outras, foram suas áreas de lazer e de amigos.

Cresceu por ali e nunca se incomodou com as diferenças. Sempre se adaptou. Essa aprendizagem está servindo agora para a sua imersão, ou sumiço mesmo. "Na favela, você vê o que é ação direta de verdade; lá, as pessoas usam para sobreviver."

Vamos chamá-la de Maria daqui para a frente, já que Emma foi um personagem de curta existência, que teve a vida prolongada demais.

Se ela tem apenas vinte e poucos anos, por outro lado, tem muitas histórias para contar e dramas para serem divididos. Já conviveu com três amores sob vários tetos; de alguns, carrega no corpo marcas do passado; de outros, na alma e no olhar, a separação. Já foi agredida, já agrediu, já traiu e foi traída. Fez um aborto e se emociona ao lembrar da cena e do dia do procedimento.

Mas venceu as lamúrias do destino e se diz uma libertária. Não lamenta as depressões amorosas. "O que passou, passou. Vamos seguir em frente."

Como ocorre com a maioria dos entrevistados, o interesse pelo anarquismo surgiu após uma aula do ensino médio. Um professor passou rapidamente sobre os movimentos autônomos. "Cheguei em casa e fui pesquisar na internet. Na hora me identifiquei com o anarquismo." Passou a visitar páginas, trocar mensagens, conhecer pessoas, na maioria das vezes, virtualmente. "Existe um mundo paralelo digital. Era muita coisa que eu sentia e era correspondida pelos meus amigos da rede."

Nessa época estava casada com um operário que ficava muito tempo fora de casa. O marido não entendia muito bem a fixação pelo tema. "Mas eu via no anarquismo algo para poder revidar o que os políticos e a PM faziam com a gente. Quantas vezes presenciei esculachos na favela? Várias. Não poderia ficar quieta. E os amigos mortos? Não dava para continuar desse jeito."

Black Blocs eram uma teoria virtual

Estamos falando de 2011, nessa época, ela mesma confirma que não imaginava que a tática Black Bloc seria utilizada no Brasil. "Já conhecia, mas não tinha ideia que poderíamos, ou muito menos que conseguiríamos, ir para as ruas e fazer o que fizemos", relembra.

Maria fala sem parar, quer contar vírgula por vírgula a sua trajetória. Não emperra em nenhum momento. Escancara tudo e mostra que por trás da avalanche de manifestações havia algumas mensagens consistentes e outras utópicas, como toda juventude revolucionária carrega.

O seu envolvimento com o movimento foi intenso, durante os dois primeiros meses trabalhou muito. Escrevia textos, divulgava e corria para o confronto. Um ponto merece destaque: os temidos mascarados tinham uma oficina de produção em série de material para as manifestações. Num galpão velho e quase abandonado, Maria e mais alguns companheiros fabricaram escudos e estilingues para enfrentar a PM carioca.

Antes de o local se tornar uma ferramentaria de guerra, na realidade era apenas um ponto de encontro onde alguns jovens se reuniam para tentar fazer a sua revolução, com as próprias mãos, além de pregos, martelos e pedaços de tapumes.

O resultado de tal preparação valeu um dos maiores e mais intensos confrontos entre Black Blocs e policiais do Brasil. Mais de sete horas de embates, em vários lugares da capital fluminense. O mais grave e violento aconteceu na esquina da avenida Rio Branco com a Getúlio Vargas. O "bicho pegou" e a tática funcionou.

"Éramos vinte pessoas, mas naquele dia surgiram mais de trezentos mascarados, tudo funcionou. Os escudeiros abriram espaço, linha de frente, segunda linha", relembra, empolgada.

Se foi uma vitória, também foi vitrine para uma maior exposição do grupo. Maria era mais uma no meio e na escuridão dos atos. O sonho era transformar o país em algo melhor, combater a violência policial, com outra violência. Alguns pontos não se fecham, mas para ela é muito claro. "Minha revolta não é contra o PM, mas, naquele momento, o soldado representa a instituição e nós estamos do outro lado."

Se correr o bicho pega, se ficar o bicho come

Na visão dos Black Blocs sobre si mesmos existem muitas utopias, ingenuidade e valorização do que realmente são. Mas, ser mascarado no Rio de Janeiro não é para qualquer um. Antes das manifestações de junho, pedindo o fim de tudo e ao mesmo tempo a reconstrução de tudo, na Cidade Maravilhosa cerca de vinte adeptos da tática já faziam ações diretas.

Maria era um deles. Nos últimos três anos, aconteceram vários protestos, quebradeiras e obviamente perseguições contra os então anarquistas. Todos os jovens se vestiam de preto, muitos não usavam máscaras, se consideravam guerrilheiros urbanos. Não explodiam bombas ou sequer usavam escudos, e muito menos eram conhecidos da grande massa.

O foco eram os grandes símbolos do capitalismo, como a rede *fast-food* McDonald's. Os anarquistas não quebravam as vidraças, mas sim colavam adesivos bem humorados, nas placas de publicidade espalhadas pela cidade. Nas eleições municipais de 2012, praticavam a mesma rebeldia contra os candidatos, inclusive o atual prefeito. Nos grandes bancos até houve alguma ação direta mais violenta, como uma porta de vidro destruída, mas o foco era a colagem de lambe-lambe.

Se ter a PM como inimiga é ruim, os vinte revoltados mexeram em enxame de abelhas: depois das primeiras ações panfletárias, milicianos passaram a perseguir o grupo. "O Rio de Janeiro não é um lugar para iniciantes. Na hora que vimos a PM e a milícia juntos para nos pegar, obviamente evaporamos."

Nessa época, a guerrilha se manteve forte apenas nas páginas do Facebook. Com as primeiras ameaças, o grupo foi obrigado a diminuir a intensidade e se preparar mais. "Não tem como lutar contra as duas maiores forças do estado."

Por isso que, em junho de 2013, quando a milícia não tinha mais controle e a PM estava atordoada, essa turma da internet saiu do mundo virtual e foi para as ruas. Maria é muito mais que uma mascarada, acredita nas ecovilas, sistema autossustentado de economia solidária, é uma feminista convicta, uma mulher que sonha, e quer tirar da sua juventude e de seus sonhos uma vida melhor para os demais. Se é certo ou errado, o tempo irá dizer. Mas que ela é muito mais que os dois olhos verde-cinzas, ela é.

Enquanto o movimento desapareceu das ruas após as prisões, algumas arbitrárias, durante a Copa do Mundo, Maria segue o seu destino, como diz uma antiga música do homem que abriu esse perfil, o mestre baiano, "Alegria, Alegria", no seu verso mais famoso: "sem lenço e sem documento"... Essa é Maria.

Relembre a canção na íntegra.

Caminhando contra o vento
Sem lenço e sem documento
No sol de quase dezembro
Eu vou

O sol se reparte em crimes
Espaçonaves, guerrilhas
Em cardinales bonitas
Eu vou

Em caras de presidentes
Em grandes beijos de amor
Em dentes, pernas, bandeiras
Bomba e Brigitte Bardot

O sol nas bancas de revista
Me enche de alegria e preguiça
Quem lê tanta notícia
Eu vou

Por entre fotos e nomes
Os olhos cheios de cores
O peito cheio de amores vãos
Eu vou
Por que não, por que não

Sem a foice, mas com o martelo em mãos, mascarado corre da polícia após atacar agência bancária no centro da cidade de São Paulo.

© Mídia NINJA

Pichadores foram um dos primeiros grupos a aderir à tática das ações diretas.

Apesar de muitos dizerem que alunos da USP compõem a maioria dos quadros dos Black Blocs, nos dias de confronto não foi isso que ocorreu: “Até apareceram alguns alunos da USP, mas, quando o bicho começou a pegar, sobrou para nós, da periferia”, falou um mascarado de 19 anos, morador da Brasilândia, zona Norte da capital.

© Mídia NINJA

Congresso tomado. O dia que o Brasil parou e os políticos entraram em choque com a revolta.

Força total. Policiais militares usam algemas de plástico para imobilizar manifestante. Essa prática foi comum. Vários mascarados revelaram que a agressão policial foi um dos principais motivos para estarem nas ruas.

© Eli Simioni

Ação direta: os bancos e as suas ações politicamente corretas foram alguns dos principais inimigos.

© Wesley Barbar/Mídia NINJA

Punhos cerrados, uma marca mesmo após a detenção para averiguação.

Amor e revolução. Mesmo na correria e no perigo, a paixão e o companheirismo estavam no ar.

Ela pensa em casamento
E eu nunca mais fui à escola
Sem lenço e sem documento
Eu vou

Eu tomo uma Coca-Cola
Ela pensa em casamento
E uma canção me consola
Eu vou

Por entre fotos e nomes
Sem livros e sem fuzil
Sem fome, sem telefone
No coração do Brasil

Ela nem sabe até pensei
Em cantar na televisão
O sol é tão bonito
Eu vou

Sem lenço, sem documento
Nada no bolso ou nas mãos
Eu quero seguir vivendo, amor
Eu vou

Por que não, por que não
Por que não, por que não
Por que não, por que não
Por que não, por que não

© Eli Simioni

A estética da
provocação.
Imprensa alvo
de deboche

PARTE 4.

O POLICIAL — CORONEL REYNALDO SIMÕES ROSSI

CAPÍTULO 1.
UM CORONEL AGREDIDO NA LINHA DE FRENTE

"A balança está desequilibrada e que decisões de governo, ao invés de atitudes de estadistas, não têm imposto as reformas legais..."

As cenas do coronel Reynaldo Simões Rossi sendo agredido a socos, pontapés, golpes com pedaços de madeira e outros meios encontrados por adeptos do movimento Black Bloc, em meio à gritaria da manifestação ocorrida no dia 25 de outubro de 2013, no centro de São Paulo, se tornaram um dos símbolos mais marcantes da violência adotada pela tática. Midiática ao atacar fachadas de bancos, incendiar lixeiras e depredar ônibus, mas carregada de fúria e ódio no confronto com a Polícia Militar. Como um dos símbolos desse confronto, o oficial da PM, na época comandante do policiamento da área Centro, foi procurado pelos autores do livro para passar suas impressões sobre o Black Bloc. Somente após ser aprovado pelo Comando, e mesmo assim apenas por *e-mail*, é que o oficial da PM respondeu aos questionamentos. O texto frio das respostas dadas apenas por escrito — levando a crer que as palavras do oficial se confundem com o discurso da corporação — não permite extrair muito do sentimento de Rossi em relação ao movimento, mas dá uma ideia de como o tema é tratado dentro dos quartéis e pelo comando da PM.

As palavras de Rossi deixam claro que para ele, ou para a corporação — difícil distinguir um do outro no texto difícil, cheio de linguagem militar e muitas vezes burocrático —, a tática Black Bloc está longe de alcançar qualquer objetivo prático, além de instalar o caos e a desordem. "Apesar de propagarem uma função *protetiva* aos participantes das manifestações, em várias oportunidades, e de forma inflexível, buscaram difundir o caos, a desordem e a violência, na forma de ações diretas ou coletivas, como instrumento de 'justiça contra o estado, seus representantes e símbolos do capitalismo' e da suposta luta contra a globalização, na busca de uma mudança social", afirma o oficial. Para o coronel, o movimento é composto por três blocos: o primeiro deles é o ideológico, formado por anarquistas que pregam a violência por meio das redes sociais; o segundo, por jovens da periferia em busca de estrelato, que "aderiram ao movimento atraídos pela *performance*" e que buscam "notoriedade", assemelhando-se às torcidas organizadas; e o terceiro, por pessoas com motivação política, interessadas em usar o grupo para ataques a membros do Executivo.

Por várias vezes Rossi destaca que não é da Polícia Militar a opção pelo confronto. Afirma que a busca por diálogo com os manifestantes foi constante, mas que sempre esbarrou na falta de receptividade do outro lado. "Não somos os vilões desta história", ressalta. O oficial afirma que os policiais militares presentes nas manifestações apresentam um alto grau de tolerância em relação aos Black Blocs. "Há um claro interesse em provocar a reação da força policial por parte dos manifestantes desse grupo. É impressionante a resiliência que um policial militar deve possuir diante do universo de impropérios, ameaças e agressões a que somos submetidos durante algumas dessas manifestações", afirma o coronel.

Para o oficial, a tática Black Bloc está longe de apresentar um caminho para a resolução dos problemas da sociedade, transformando-se, sim, de certa forma, em aliada dos governantes que querem atacar. "À medida que, ao final de uma manifestação, discutem-se os confrontos, danos etc., quem sai beneficiado são aqueles que deveriam dar respostas às ações e intervenções necessárias para a diminuição dos problemas que hoje atingem a sociedade", raciocina. Questionado sobre as agressões que sofreu, Rossi se esquiva. "Fui apenas mais um dos inúmeros policiais militares feridos, que naquele período, só na área central, somaram setenta profissionais", diz. Mas, demonstra certo rancor ou mágoa em relação à falta de punição dos envolvidos nos tumultos. "Infelizmente, minha agressão e as dos demais policiais não foram suficientes para trazer à tona a necessária discussão e responsabilização aos integrantes de qualquer manifestação que optam pela violência e destruição, pois caso tivesse contribuído, talvez a morte do profissional da impressa carioca tivesse sido evitada", argumenta o oficial, referindo-se ao cinegrafista da TV Bandeirantes Santiago Ilídio Andrade, morto após ser atingido por um morteiro de rojão em fevereiro deste ano, durante uma manifestação no Rio de Janeiro.

Veja a seguir os principais pontos da entrevista com Rossi:

Qual a visão que o senhor tem dos jovens que utilizam a tática Black Bloc?

À Polícia Militar incumbe assegurar o conjunto de garantias constitucionais, em especial as relacionadas aos direitos de reunião e manifestação.

Esse exercício submete-se a alguns requisitos legais dos quais destaco: a natureza pacífica do movimento, a ausência de armas e a vedação ao anonimato, independentemente do público participante e do tema levado às ruas.

Os jovens que se intitulam adeptos da tática (grupo) Black Bloc inserem-se nesse contexto, submetem-se a essas limitações, porém sempre o fizeram com episódios de quebra da ordem, a partir de junho de 2013.

Apesar de propagarem uma função protetiva aos participantes das manifestações, em várias oportunidades e de forma inflexível, buscaram difundir o caos, a desordem e a violência, na forma de ações diretas ou coletivas, como instrumento de "justiça contra o estado, seus representantes e símbolos do capitalismo" e da suposta luta contra a globalização, na busca de uma mudança social.

A observação empírica do perfil e postura de seus integrantes, em especial no intervalo entre junho e dezembro de 2013, faz presumir três momentos no que tange aos participantes vinculados à estética Black Bloc:

— um grupo original, basicamente formado por adeptos do anarquismo, de maior poder aquisitivo e arcabouço cultural, vinculados a uma utopia de convivência harmoniosa, sem submissão a qualquer tipo de governo, que prega a violência e expressa seus objetivos através dos tipos de mensagens, imagens e codinomes utilizados em suas páginas pessoais ou convocatórias das redes sociais.

— jovens vindos de vários locais da Grande São Paulo, com predominância de áreas periféricas, sem o respaldo ideológico, motivados pela massiva exposição midiática e que aderiram ao movimento atraídos pela *performance*, vestimenta e visibilidade alcançada pelos participantes originais, elevando ainda mais os episódios de violência e encarando o enfrentamento com as forças policiais como um rito de passagem, uma forma de fuga do ostracismo social e a busca de notoriedade em suas regiões de origem, muito próximo da postura de alguns integrantes de torcidas organizadas.

— finalmente, observa-se a adição de integrantes com motivações político-partidária que procuravam agregar as massas e a parcela de Black Bloc que aderia aos instrumentos convocatórios temas que se alternavam em denúncias e ataques aos principais representantes dos poderes executivos em todas as esferas.

As manifestações, conforme as circunstâncias, continham um ou vários destes extratos, notados inclusive por discussões em seus seios sobre itinerários, natureza das ações, passos a serem seguidos etc.

Os Black Blocs têm um líder?

Liderar, em síntese, relaciona-se à capacidade de influenciar pessoas, motivada por aspectos como: carisma, conhecimento, informação e segurança nas práticas almejadas, sendo visível que não só as manifestações como as características de atuação dos Black Blocs subordinaram-se a um variado sistema de estilos e papéis de liderança.

Sua presença é confirmada pela adoção de ritos, práticas e estratégias oriundos da experiência política, literaturas, ações e experimentos havidos no ambiente local, nacional e internacional, e a exposição pública ou não de sua presença é condicionada aos interesses e propósitos de cada ocasião.

Lembre-se que as manifestações de junho, na cidade de São Paulo, surgiram com o suporte de um instrumental de liderança, desde sua primeira edição, ostensivo até um primeiro momento, onde já se registraram problemas, e que aparentemente foi sendo apropriado por atores de acordo com os objetivos e alvos do momento, inclusive na análise e conveniência da utilização de meios violentos e produção generalizada de danos.

Assistiu-se corriqueiramente à criação de estratégias abrangentes de condução e comunicação, cumuladas com o aperfeiçoamento diário das ações, em razão das respostas das forças policiais, sendo infantil pensar-se de maneira reducionista ao atribuir a existência e presença de liderança com base apenas a episódios locais de liderança situacional surgidos ou não em função de assembleias ou organizações informais no momento da manifestação.

Se, eventualmente, nem todos os participantes cumpriam com os *slogans*, propósitos e responsabilidades pretendidos, o fato se deve à própria presença de público variado que se travestia como Black Bloc, bem como a eventuais interesses na manipulação deste público.

A PM já tentou uma aproximação juntos a essas pessoas?

O sucesso de uma manifestação é um esforço coletivo e, até junho de 2013, a lógica adotada pela Polícia Militar, em virtude da complexidade deste tipo de operação, pautou-se pela gestão da multidão construída em reuniões prévias, com a presença de vários protagonistas, segmentos públicos e privados mediante ajuste de condutas e atendimento às necessidades não só dos participantes, como de eventuais opositores, bem como aqueles indiferentes e que não querem seu cotidiano afetado.

Mesmo em movimentos surgidos de forma inopinada, a interlocução com seus integrantes sempre foi uma postura adotada pela Polícia Militar, e o fenômeno das convocações pelas redes sociais não interrompeu esta forma de agir, entretanto seus efeitos foram reduzidos em virtude da heterogeneidade dos participantes, dos propósitos e da própria resistência deste segmento.

Buscou-se, em várias ocasiões, a aproximação com esse público mediante a sua convocação pelas redes sociais para compartilharem do planejamento, além da tentativa, como norma, de diálogo dos comandantes designados para a operação com os jovens adeptos, inclusive antes de se vestirem com sua indumentária própria, nos momentos que antecediam a própria manifestação, porém os resultados foram ínfimos.

Entendo que tal resultado não poderia ser diferente, pois a ausência de racionalidade na forma de trazer suas demandas às ruas, somada a um maniqueísmo instalado na relação com as forças policiais, diversidade de ideias e propósitos entre os adeptos inviabilizaram a comunicação não só com a força policial, mas com a própria sociedade, que reprovou ostensivamente os métodos adotados.

A negociação bem-sucedida depende de emissor, receptor, canal, definição, busca de objetivos comuns e processos decisórios compartilhados, logo como fazê-la acontecer com parcela de pessoas que veiculam ostensivamente o interesse por ações violentas e se negam ao contato com o estado e as forças de segurança, em quaisquer circunstâncias?

Nas ocasiões em que há a predisposição para o diálogo os resultados são muito favoráveis, e o fato de apenas vinte e três dos 584 eventos e manifestações registrados no ano de 2013, na área central de São Paulo, não terem sido pacíficos confirma que a Polícia Militar sempre buscou a comunicação, porém o desprezo pelos meios convencionais de mudança da sociedade e os passos decorrentes desses meios não fazem parte das intenções dessa parcela de jovens.

A Polícia Militar tem utilizado de força excessiva nos embates com esses jovens. O senhor acha que essa é a forma correta?

As ações policiais são pautadas pela legalidade e uso moderado e proporcional da força combinando-se a cada episódio o emprego dos meios, efetivos e táticas em todos os cenários. Não há excessos nas intervenções. Ações isoladas são apuradas e remetidas para a análise do Judiciário, perdendo a própria polícia a capacidade de aferi-los e submetendo a apreciação da ação a um órgão externo.

O estudo dos conteúdos convocatórios, das ameaças e práticas inseridas em alguns dos protestos, tais como a utilização de coquetel molotov contra os efetivos policiais, ataques a delegações durante a Copa, intervenções e atentados durante eventos como o *réveillon* da Paulista e o número de homens e mulheres da Polícia Militar feridos, deixam claro que a opção da violência vem de parcelas deste grupo e que a atuação policial tem se pautado pelo profissionalismo institucional e um grau de resiliência muito elevado.

O confronto não é uma opção da organização policial, e o fato de apenas 4,1% das 584 manifestações e eventos havidos na área central no ano de 2013 e 1,3% (dados de maio de 2014) das 397 manifestações e eventos terem episódios de violência deixam claro que a opção pelo uso da força não é uma estratégia institucional da Polícia Militar.

Na verdade, a balança está desequilibrada e só agora estes jovens começam a ter seus atos e ações apreciados pela polícia judiciária e pela justiça, diferentemente do que é imposto e adotado pela PM em todas as esferas de suas atuações em quaisquer ocasiões.

Durante nossas inúmeras entrevistas, os adeptos da tática explicitam que um dos motivos do ataque aos policiais militares são devidos aos excessos que muitos sofreram e sofrem durante abordagens policiais, principalmente na periferia. O que o senhor tem a dizer sobre isso?

Estamos em um estado que chega à casa de 42 milhões de habitantes, e um efetivo da Polícia Militar em torno de 94 mil homens e mulheres que realizam o policiamento ostensivo, a manutenção e preservação da ordem, por intermédio de 42 milhões de chamadas telefônicas, que resultam em 33 milhões de intervenções policiais mensais no estado de São Paulo.

Diariamente, 16 mil viaturas são despachadas para uma série de demandas que resultaram, em 2013, em mais de 150 mil pessoas e adolescentes presos ou apreendidos em diversas ocorrências e 13 mil armas ilegais retiradas das ruas. Logo, generalizar ações isoladas que não são aceitas pela Polícia Militar é algo descabido.

A Polícia Militar está pautada em um sistema de gestão transparente, promotora dos direitos humanos, mas que também espera ver seus integrantes reconhecidos e tratados pela sociedade e governos no mesmo diapasão. Não somos os vilões desta história.

O crime tem várias causas que se combinam, e à polícia resta atuar sobre seus efeitos, enquanto estimula outros atores a promover medidas de prevenção primária, que atuem nas causas.

A abordagem policial é uma das formas de exercício do poder de polícia e visa a prevenir e ou reprimir infrações à ordem pública. Sua realização, assim como outras ações de polícia, está pautada em procedimentos operacionais padrão, tratados em todas as escolas de formação e aperfeiçoamento e que, se não cumpridos, impõem aos faltosos responsabilidades, em várias áreas.

O fato é que uma circunstância não justifica outra e nossa atitude contra desvios é clara. Casos de excessos praticados por policiais militares podem ser levados ao conhecimento por vários canais de comunicação e são apurados com rigor. Há um franco processo de aperfeiçoamento promovido em parceria com instituições externas, como o Instituto Sou da Paz, Instituto Falconi etc, bem como trabalhos nas áreas de graduação e pós-graduação na área de ciências policiais.

As forças policiais são os órgãos mais fiscalizados por todos os extratos da sociedade e são vítimas do mesmo paradigma que esses adeptos utilizam para atacar seus homens, a generalização de ações isoladas. Assim, pergunta-se: estes jovens também estão dispostos a rever esse maniqueísmo? Já foram responsabilizados e ressarciram os danos individuais e coletivos provocados?

Por outro lado, os Black Blocs também creditam sua forma de atuação à violência policial nos atos, como o do rapaz que ficou cego de um olho após ser atingido por uma bala de borracha. O que fazer?

O caso em questão é objeto de apuração por Inquérito Policial Militar, e atribuir que tenha sido uma bala de borracha o gerador da lesão seria antecipar as conclusões.

Movimentos havidos no ano de 2013, antes da inserção dos Black Blocs, sempre se pautaram em ações de gestão da multidão em virtude do equilíbrio garantido nas ações preparatórias de cada movimento, implicando em efetivos policiais mais bem dimensionados, baixo número de feridos e danos ao patrimônio em geral.

A negociação sempre foi a via escolhida pela Polícia Militar, e a própria necessidade de ampliar a proteção individual dos policiais militares durante os eventos demonstra que a violência de parcela dos participantes sempre foi o propósito desde o início e se acentuou contra as forças policiais militares, desviando o foco de causas legítimas que merecem ser discutidas por toda a sociedade.

O dia 7 de setembro contou com algumas manifestações anteriores e simultâneas à convocada e organizada pelos Black Blocs. Aquelas terminaram sem episódios de violência e danos, como foi o caso da tradicional Marcha dos Excluídos, que contou com quase 1.500 pessoas.

A manifestação dos Black Blocs, intitulada "Dia de Fúria", o que já descrevia suas intenções, contou com mascarados desde o início, portando ostensivamente barras de ferro, paus e outros instrumentos para a prática de violência e culminou com episódios de destruição generalizada, a partir da tentativa de invasão da Câmara Municipal de São Paulo e sua dispersão pelo centro da capital.

Registraram-se prisões de autores de depredações e de ameaça, apreensões de coquetel molotov, estilingues, bolinhas de gude, facas, bastões e uma tentativa de homicídio contra um policial militar. Portanto, não houve violência policial e sim o uso proporcional a cada necessidade de restabelecimento da ordem.

A inteligência da PM utiliza muitos policiais infiltrados, mas os adeptos sabem quem são e até ironizam a presença desses agentes no meio deles. Essa é a melhor forma de conseguir informações?

A informação é um insumo importante em qualquer atividade, e a coleta de informações nas operações empreendidas na área central de São Paulo era feita através da análise das fontes abertas, disponíveis: Facebook, imprensa, mídias sociais, tweets. Não infiltramos policiais militares nas operações durante minha estada no comando das mesmas.

A PM está preparada para combater os "Black Blocs?

O sucesso de qualquer operação é uma construção coletiva. Não visamos a combater ninguém, nem os Black Blocs, mas sim garantir que os eventos e manifestações, observados os preceitos legais, tenham seus temas levados à rua e se encerrem atendendo, inclusive, àqueles que são contrários e outros que não querem seu cotidiano atingido pelo movimento.

A Polícia Militar dispõe de um processo decisório sedimentado, adaptado a cada tipo de evento e manifestação, que conta com análises de riscos das convocações e conteúdos veiculados na rede social, seu histórico, vínculos desse evento a outros de mesma natureza havidos no cenário nacional e internacional, visto que há uma tendência à comunicação e imitação de práticas.

A estratégia de comando é sólida, os principais participantes colaboram na construção das metodologias e ações requeridas, disponibilizando-se efetivos, recursos e meios de contingência, adequados a cada cenário, além de instituir-se antecipadamente um centro integrado para garantir a efetividade das práticas e a participação dos órgãos requeridos a cada situação.

Segundo os manifestantes, nas últimas manifestações a PM utilizou de força desproporcional. Por exemplo, no dia 12/06/2014 havia cerca de quarenta manifestantes para centenas de policiais nas proximidades da estação Vila Carrão do Metrô. Em outro episódio, um ato no dia 02/07/2014, na praça Roosevelt havia a Tropa de Choque, Cavalaria, Rocam e a Força Tática. Existia a necessidade de todo esse contingente policial?

No planejamento há que se considerar vários fatores que podem influenciar no resultado desejado. A pergunta faz referência ao ponto de vista dos manifestantes, e essa é uma opinião subjetiva, de quem não age como planejador de uma ação sob a óptica da segurança pública. Talvez essa “força desproporcional” tenha evitado algum tipo de confronto, ou que algum manifestante mais exaltado pensasse em se beneficiar do anonimato para promover atos de provocação contra os policiais ou transeuntes.

Nas ocasiões em que a força policial permite um grau de decisão apenas subordinado aos participantes, parcela se apropria do movimento e mesmo grupos pequenos têm uma capacidade lesiva elevada no que tange à produção de danos ao patrimônio e violência às pessoas.

Considere-se ainda que os impactos causados por qualquer manifestação, inclusive aquelas em grandes vias e horários de ida e vinda das pessoas, podem gerar oportunidade para a prática de delitos na área mediata ao evento, ou dar causas a outros eventos em virtude de pessoas descontentes com os impactos sofridos, em virtude da ação de uma parcela de pessoas que se julgam no direito de se apropriar do direito de ir e vir de toda uma população.

A PM acredita que existam quantos adeptos da tática Black Bloc em São Paulo?

Desconheço a quantidade, pois, como já disse acima, a adesão e o tipo de jovem que se utiliza ou se traveste como tal depende das circunstâncias e momentos anteriormente citados.

Destaque-se apenas que o fator relevante não recai apenas no número, mas na capacidade lesiva de produzir danos e violência, que mesmo os pequenos grupos possuem.

A PM está trabalhando em conjunto com a Polícia Civil para coibir a prática da tática Black Bloc?

A Polícia Militar trabalha com todos os envolvidos na resolução de assuntos relacionados a eventos ou manifestações. A intersecção da Polícia Militar com a Polícia Civil, no tema Black Bloc, tem subordinação legal, pois indivíduos vinculados ao grupo, quando surpreendidos em suas ações, são conduzidos aos Distritos Policiais, onde os delitos praticados são aferidos e há a submissão dos mesmos ao ordenamento legal em vigor.

Qual a sua análise em relação aos jovens que praticam a tática Black Bloc?

Entendo que o tipo de prática que o grupo adota não interessa à resolução dos graves problemas que a sociedade em conjunto e através dos meios legais deve enfrentar.

À medida que, ao final de uma manifestação, discutem-se os confrontos, danos etc., quem sai beneficiado por essa pauta são aqueles que deveriam dar respostas às ações e intervenções necessárias para a diminuição dos problemas que hoje atingem a sociedade, da qual os Policiais Militares são parte e também afetados.

O que o senhor acha da suposta associação dos Black Blocs com o PCC?

Entendo que qualquer informação deva ser objeto de investigação, porém desconheço sobre este tema e a existência ou não de apurações sobre esta associação.

A PM tem noção de que é provocada por eles o tempo todo?

Há um claro interesse em provocar a reação da força policial por parte dos manifestantes desse grupo. É impressionante a resiliência que um policial militar deve possuir diante do universo de impropérios, ameaças e agressões a que somos submetidos durante algumas dessas manifestações.

Cabe destacar ainda o conjunto de ameaças, estratagemas e métodos de agressão à força policial que são difundidos nas diversas páginas vinculadas ou apoiadoras desse grupo. Prega-se o ataque indiscriminado a policiais, sem que seus comentários e propostas tenham sido apurados à luz da lei até o momento.

Os líderes, ostensivos ou velados, presentes ou a distância, buscam a todo momento provocar a quebra da ordem mediante a intervenção policial e contam que em algum momento alcancem a construção de um mártir para o movimento.

Infelizmente, têm produzido vítimas, como o próprio jornalista da TV Bandeirantes, inclusive no ambiente das manifestações, pois suas indiscriminadas interrupções da circulação de veículos e meios de transporte atentam contra a coletividade, abrem oportunidade para a ação de criminosos eventuais ou contumazes e prejudicam a prestação de serviços essenciais, aí inclusos os de saúde, sejam públicos ou privados.

Muitos deles dizem que a violência policial é o "combustível" para a revolta. Não seria o momento de a PM mudar de tática? Por exemplo, tirar a Tropa de Choque da linha de frente e colocar policiais com mais repertório para uma mediação?

Esse tema já foi tratado. As modalidades e tipos de força policial utilizadas evoluíram e se fizeram presentes aos atos não como instrumento de repressão, mas sim em resposta à atitude destes grupos diante da utilização de policiais militares acostumados com a negociação e interação com os diversos grupos sociais que optam por levar seus temas à rua.

Sempre tentamos buscar soluções para as manifestações e permitir que elas fossem concluídas com sucesso, porém a escolha do grupo Black Bloc sempre foi o conflito. Assistimos, durante o primeiro semestre de 2013, negociadores da polícia aproximando-se dos grupos, acompanhando em longas caminhadas participantes, sentando-se e discutindo estratégias conjuntas; no entanto, no que tange ao Black Bloc, essa nunca foi uma opção por eles pretendida, e os acordos só não se firmaram por suas resistências em compartilhar o sucesso nas manifestações.

As afirmações acima são corroboradas pelas necessidades enfrentadas pela Polícia Militar em lidar com manifestações em que estes grupos se fizeram presentes.

Fomos obrigados a evoluir do simples balizamento e orientação aos participantes através de motociclistas, que tiveram que ser retirados devido às inúmeras tentativas para derrubá-los, para policiais destacados para acompanhá-las, ao lado, com crescente ampliação de sua proteção pessoal, agregando-se forças táticas para pronta resposta e efetivos designados para a proteção de locais públicos e seus funcionários. Assim, pergunto: o que colocou a Tropa de Choque nesse cenário foi a Polícia Militar ou a atitude ilegal destes grupos? A resposta parece-me óbvia pela evolução tática na utilização dos efetivos acima descrita.

Como o senhor lidou com o episódio da agressão? Houve a abertura de inquérito?

Fui apenas mais um dos inúmeros policiais militares feridos, que naquele período, só na área central, somavam setenta profissionais.

Repito que a balança está desequilibrada e que decisões de governo, ao invés de atitudes de estadistas, não têm imposto as reformas legais que são necessárias para a retomada do equilíbrio e a exclusão de criminosos que se apropriam de temas importantes levados às ruas.

Um policial agredido em quaisquer circunstâncias não representa apenas sua pessoa, mas o próprio estado, detentor legítimo do uso da força e a quem incumbe manter o equilíbrio social.

Infelizmente, minha agressão e as dos demais policiais não foram suficientes para trazer à tona a necessária discussão e responsabilização aos integrantes de qualquer manifestação que optam pela violência e destruição, pois caso tivesse contribuído, talvez a morte do profissional da impressa carioca tivesse sido evitada.

Espero que não haja um esquecimento dos principais representantes da sociedade sobre a complexidade deste tipo de movimento e a necessidade de limites legais, caso contrário assistiremos esse mesmo filme no futuro, sem o aperfeiçoamento legal necessário e que proteja acima de tudo a população ordeira que quer e tem o direito de colocar em discussão importantes temas que devem ser tratados, mas que em virtude da ação dos Black Blocs, foram colocados em segundo plano, beneficiando àqueles que não buscam a melhora desse país.

© Wesley Passos

POSFÁCIO

O Black Bloc e a violência

Pablo Ortellado*

Embora tenham sido transformados pela imprensa numa espécie de Al Qaeda, os manifestantes que fazem uso da tática Black Bloc estão inseridos numa longa tradição de reflexão sobre a forma mais adequada e eficaz de se produzir mudança social por meio do protesto de rua.

Os primeiros Black Blocs eram grupos informais de autodefesa dos movimentos autônomos da Alemanha ocidental nos anos 1980, os *Autonomen*. As táticas do grupo consistiam na constituição de linhas de frente para enfrentar a repressão policial e na organização de cordões de isolamento para impedir a infiltração de agitadores nas passeatas. O nome Black Bloc, ("*der schwazer Block*") era originalmente uma brincadeira que aludia ao fato de as manifestações de rua na Alemanha se organizarem por meio de "blocos" como o verde (formado pelos ambientalistas) e o vermelho (por socialistas ligados aos sindicatos).

Nos Estados Unidos, no final dos anos 1990, os Black Blocs ganharam um novo contorno, isto é, foram ressignificados. Um pouco antes, na primeira metade dos anos 1990, pequenos Black Blocs no estilo alemão tinham ocasionalmente aparecido em protestos nos EUA devido à difusão da tática em artigos e livros, como o de George Katsiaficas, antigo aluno de Marcuse.

Mas o Black Bloc ganhou seu contorno atual durante os protestos contra a Organização Mundial do Comércio, em Seattle, em 1999, quando um grupo optou por romper com a tática de bloquear ruas e praticar resistência passiva, na tradição da desobediência civil não violenta de Gandhi e Martin Luther King Jr.

A desobediência civil não violenta tinha se estabelecido como paradigma dos movimentos sociais dos Estados Unidos depois da vitória do movimento pelos direitos civis nos anos 1960. A tática consistia em desobedecer uma lei injusta e não reagir à violência do estado que tentava defendê-la. Assim, os ativistas do movimento pelos direitos civis desobedeciam às leis que determinavam lugares separados para negros e brancos ocupando com *sit-ins* restaurantes e outros ambientes segregados. Quando a polícia reprimia com violência esse ato de desobediência pacífica, as imagens divulgas pela imprensa de manifestantes de uma causa justa sofrendo a repressão violenta do estado geravam indignação da opinião pública que pressionava pelo fim da segregação.

Mas nos anos 1990 havia um sentimento que aquela tática tinha se esgotado porque a desobediência civil não tinha como gerar efeitos políticos sem a cobertura da violência policial pela imprensa. O professor de Antropologia da London School of Economics, David Graeber, um dos ativistas que compuseram o Black Bloc de Seattle, relata assim o debate que se deu:

"Estratégias gandhianas não têm funcionado historicamente nos Estados Unidos. Na verdade, elas nunca funcionaram em escala massiva desde o movimento pelos direitos civis. Isso, porque os meios de comunicação nos EUA são constitutivamente incapazes de noticiar os atos de repressão policial como 'violência' (o movimento pelos direitos civis foi uma exceção porque muitos americanos não viam o sul como parte do mesmo país). Muitos dos jovens que formaram o famoso Black Bloc de Seattle eram na verdade ativistas ambientais que estiveram envolvidos em táticas de subir e se prender em árvores para impedir que fossem derrubadas e que operavam em princípios puramente gandhianos — apenas para descobrirem em seguida que nos Estados Unidos dos anos 1990, manifestantes não violentos podiam ser brutalizados, torturados e mesmo mortos sem qualquer objeção relevante da imprensa nacional. Assim, eles mudaram de tática. Nós sabíamos de tudo isso. E decidimos que valia a pena correr o risco".

A crítica que os ativistas do Black Bloc de Seattle fizeram às táticas clássicas de Gandhi não é, no entanto, nova. Ela retoma um debate que já havia ocorrido nos anos 1940 entre o socialista dissidente George Orwell e o próprio Gandhi. Num artigo célebre, Orwell argumenta que o método de resistência passiva gandhiano não podia ser generalizado para circunstâncias nas quais não havia uma imprensa livre e atuante que alimentasse uma opinião pública liberal. Ele ironizava, assim, a recomendação de Gandhi de que os judeus perseguidos pelo nazismo deveriam ter cometido suicídio coletivo para despertar a consciência alemã:

"A posição do Gandhi era que os judeus alemães deveriam cometer suicídio coletivo, o que 'despertaria o mundo e o povo da Alemanha para a violência de Hitler'. Após a guerra, ele se justificou: os judeus teriam sido mortos de qualquer maneira, então pelo menos eles poderiam ter morrido de maneira significativa. (...) Há motivo para pensar que Gandhi, que nasceu em 1869, não entendeu a natureza do totalitarismo e via tudo mais nos termos de sua própria luta contra o governo britânico. A questão importante não é tanto que os britânicos o tenham tratado com tolerância mas o quanto ele sempre pôde atuar publicamente. Como se pode ver na sentença citada acima, ele acreditava num 'despertar do mundo' que só é possível se o mundo tem a oportunidade de conhecer o que você está fazendo. É difícil imaginar como os métodos de Gandhi podiam ser aplicados em um país no qual os oponentes do regime desaparecem no meio da noite para nunca mais serem encontrados. Sem uma imprensa livre e o direito à reunião é impossível não apenas apelar para a opinião externa, mas criar um movimento de massas ou mesmo fazer suas intenções serem conhecidas pelo adversário".

Tanto Orwell como os ativistas do Black Bloc de Seattle entendiam que a ausência de uma imprensa livre e atuante impedia que as ações de desobediência não violenta tivessem impacto na opinião pública gerando efeitos políticos. Para enfrentar esse dilema, os ativistas americanos propuseram ressignificar as táticas do Black Bloc alemão concentrando sua ação numa modalidade de desobediência que era a destruição seletiva de propriedade privada. O objetivo era duplo: por um lado, resgatar a atenção dos meios de comunicação de massa; por outro, transmitir por meio dessa ação de destruição de propriedade uma mensagem de oposição à liberalização econômica e aos acordos de livre-comércio.

Ao contrário do que normalmente se pensa, essa ação não apenas não é violenta como é predominantemente simbólica. Ela deve ser entendida mais na interface da política com a arte do que da política com o crime. Isso, porque a destruição de propriedade a que se dedica não busca causar dano econômico significativo, mas apenas demonstrar simbolicamente a insatisfação com o sistema econômico. Há, obviamente, uma ilegalidade no procedimento de destruir a vitrine de uma grande empresa, mas é justamente a conjugação de uma arriscada desobediência civil e a ineficácia em causar prejuízo econômico à empresa ou ao governo que confere a essa ação seu sentido expressivo ou estético, num entendimento ampliado. A destruição de propriedade sem outro propósito que o de demonstrar descontentamento simbolizava e apenas simbolizava a ojeriza aos efeitos sociais da liberalização econômica.

Também é preciso salientar que essa tática se inscreve na longa tradição de não violência do movimento social norte-americano. A destruição seletiva de propriedade privada não é feita de maneira arbitrária, mas segue regras pactuadas pelos ativistas: não podem ser alvo os pequenos comércios e as ações não podem resultar na agressão a pessoas ou a animais.

Embora não esteja claro em que medida as ações Black Bloc foram capazes de transmitir a mensagem política desejada, elas foram, sem dúvida, eficazes em capturar a atenção dos meios de comunicação de massa — afinal, se mostrou acertada a intuição dos ativistas de que nada despertaria mais a atenção da grande mídia do que uma desobediência do coração do sistema jurídico que é a proteção da propriedade privada.

O impacto midiático das ações do Black Bloc em Seattle foi tão grande, que terminou ofuscando, em parte, a grande construção coletiva que levou tanto às passeatas de massa organizadas pela central sindical AFL-CIO, como aos bloqueios de rua organizados pelos ativistas da Direct Action Network. Esse sucesso em capturar a atenção dos meios de comunicação foi logo percebido por ativistas em todo o mundo, e a tática Black Bloc, na sua roupagem americana, logo entrou no repertório dos movimentos sociais, disseminando-se por todo o planeta nos primeiros anos do século XXI.

O rompimento do consenso no movimento social americano em torno das táticas gandhianas suscitou muitos debates e, desde o princípio, o Black Bloc foi acusado de oportunista, de diversionista, de promotor da violência e de isca da repressão policial. Os calorosos debates do início dos anos 2000 foram resolvidos por meio da ideia da "diversidade de táticas", isto é, da ideia de que as diferentes táticas tinham que conviver, respeitando umas as outras — mais ou menos como o "mundo onde caibam muitos mundos" preconizado pelos zapatistas.

Para esse consenso ser atingido foi necessário que aqueles que advogavam a tática exclusiva de bloqueios e ocupações (*sit-ins*) não violentos entendessem que os que aderiam à tática Black Bloc também participavam da tradição da não violência, pois não atacavam pessoas, mas coisas. A partir desse consenso, os protestos de rua passaram a ser divididos em grupos que ocupavam cada um uma parte da cidade, de maneira que pudessem coexistir. Esse mesmo consenso existiu no Brasil no início dos anos 2000 durante os protestos contra a ALCA.

No entanto, na onda de mobilizações globais que começou em 2011, parece que esse aprendizado foi esquecido e os duros ataques aos Black Blocs reapareceram no Occupy Wall Street, na insurreição no Egito, nos protestos na Grécia e também no Brasil. Os ativistas que compunham os Black Blocs foram tratados como arruaceiros inconsequentes, luditas irracionais e bandidos oportunistas. O fato de que os grupos no Brasil em geral têm respeitado os princípios da tática, que inclui não agredir pessoas, nem atacar pequenos comércios não é levado em conta nas acusações de "violentos" e, assim, um ato de desobediência civil (a destruição de propriedade) se torna equivalente à agressão a pessoas.

Enquanto a destruição da vidraça de bancos ganha enorme visibilidade, a repressão da polícia a manifestantes pacíficos segue invisível para a maior parte da grande imprensa. E não é só a agressão a manifestantes que é invisível. Toda a ação abusiva e violenta da polícia nas periferias das grandes cidades não recebe cobertura ou recebe uma cobertura discreta, sem destaque editorial.

A imprensa gasta páginas e mais páginas de jornal e dezenas de minutos de jornalismo televisivo para discutir a "violência" contra vidraças enquanto a verdadeira violência contra a vida ganha apenas menções pontuais. Ao chamar a atenção para os bancos, para as grandes marcas e para o estado brasileiro, os manifestantes que fazem uso da tática Black Bloc no Brasil resgatam a atenção dos meios de comunicação e tentam redirecioná-la para o sistema econômico e político que está na gênese da verdadeira violência da nossa sociedade.

São pertinentes as dúvidas se sua mensagem está sendo adequadamente recebida pelo público e se a tática facilita a infiltração de provocadores e afasta simpatizantes da causa. Mas, seja como for, não restam dúvidas de que sua ação não é nem arbitrária, nem irracional.

Os jovens que estão nas ruas merecem o respeito de serem tratados como atores políticos consequentes — e nossa indignação precisa estar orientada para a verdadeira violência, aquela que agride manifestantes pacíficos e faz desaparecer Amarildos. Afinal, vidas devem valer muito mais do que vidraças.

* Professor da Escola de Artes, Ciências e Humanidades da USP. Coautor dos livros *Estamos Vencendo! Resistência global no Brasil* (Conrad Editora) e *Vinte centavos: a luta contra o aumento* (Editora Veneta). Partes deste artigo foram anteriormente publicadas no *Le Monde Diplomatique Brasil* e no *Correio da Cidadania.*

Referências Bibliográficas

Dupuis-Déri, F. *Les Black Blocs: la liberté et l'égalité se manifest.* Québec: Lux, 2007. [em português: *Black Blocs.* São Paulo: Veneta, 2014]

Graeber, D. Concerning the Violent Peace-Police: An Open Letter to Chris Hedges. Disponível em: <http://nplusonemag.com/concerning-the-violent-peace-police>.

Katsiaficas, G. *The subversion of politics: european autonomous social movements and the decolonization of everyday life.* Nova Jersey: Humanities Press, 1997.

Orwell, G. Reflections on Gandhi. In: *A collection of essays.* Wilmington: Mariner books, 1970. [em português: Reflexões sobre Gandhi. *Dentro da baleia e outros ensaios.* São Paulo: Companhia das Letras, 2005]